ÉLEVER UN GARÇON

Steve Biddulph

ÉLEVER
UN GARÇON

• MARABOUT •

Sommaire

1. Où en sommes-nous avec les garçons ? 9

2. Les trois étapes de croissance 15

3. Testostérone ! 47

4. Les différences entre les cerveaux
   des garçons et des filles 63

5. Le rôle du père 77

6. Mère et fils 95

7. Découvrir la sexualité 123

8. Les garçons et l'école 145

9. Les garçons et le sport 165

10. Un défi pour la société 177

Appendice 185

1.

Où en sommes-nous
avec les garçons ?

J'avais hier soir une réunion à Sydney, et je m'y rendais en voiture – ou du moins j'essayais – quand j'ai buté une fois de plus sur le problème que posent les représentants du sexe masculin. À quelques mètres devant moi, un accident bloquait l'autoroute. Un conducteur de 18 ans, qui transportait quatre amis, avait tenté de se glisser dans la circulation en sortant d'une bretelle d'accès. Il n'avait pas pris garde au camion qui arrivait derrière lui. Le poids lourd avait broyé la moitié de la voiture et traîné l'épave sur cinquante mètres.

Sous mes yeux, sept véhicules de services d'urgence arrivèrent : pompiers, médecins, police, ambulances. Les hommes travaillaient en équipes, affrontant calmement la situation.

On découpait la tôle pour extirper de son siège le jeune chauffeur plongé dans l'inconscience ; on donnait les premiers soins aux quatre passagers qui souffraient de blessures diverses. Une femme plus âgée, peut-être la mère de l'un d'eux, arriva en courant d'une ferme proche. Un policier la rassura avec douceur.

La situation devait tout à la masculinité : immature et téméraire d'un côté ; compétente, bienveillante et solide de l'autre. D'une certaine manière, elle résumait le propre de l'homme que la jeunesse rend vulnérable et prompt à courir au désastre, mais qui peut acquérir tant de qualités avec la maturité. De nos jours, la naissance d'un garçon donne des sueurs froides. Nombreux sont les parents qui se demandent avec anxiété : que va-t-il devenir ?

MÂLES EN DANGER

Ce sont aujourd'hui les filles qui font preuve d'assurance, de motivation et d'ardeur au travail. Les garçons vont plus souvent à la dérive. Maladroits dans leurs rapports sociaux, ils connaissent l'échec scolaire, et n'ont qu'un pas à franchir pour accepter la violence, l'alcool et la drogue.

Les différences apparaissent tôt : visitez n'importe quelle école maternelle et vous vous en rendrez compte. Les filles prennent plaisir aux activités en commun tandis que les garçons leur tournent autour comme des Indiens autour d'un convoi de chariots. Ils les embêtent et se battent entre eux.

Dans la plupart des systèmes scolaires occidentaux, les garçons travaillent peu et mal en primaire. Arrivés au niveau du cours moyen, beaucoup d'entre eux ont abandonné la lecture. De ce fait, ils s'expriment souvent par monosyllabes : «Hein ?», «Ouais !» Au collège, ils ne participent plus aux activités collectives autres que sportives. Ils prétendent se moquer de tout mais ne veulent surtout pas passer pour un «intello».

Les adolescents manquent d'assurance dans leurs relations avec autrui et ne savent pas comment se faire apprécier des filles. Certains deviennent affreusement timides ; d'autres se montrent agressifs et désagréables. Résultat, la plupart d'entre eux semblent dépourvus des plus élémentaires talents de conversation.

Toutefois, le problème majeur posé par les garçons consiste en leur sécurité. À 15 ans, toutes causes confondues, les garçons ont un taux de mortalité trois fois plus élevé que les filles du même âge. L'écart est particulièrement visible en ce qui concerne les décès dus aux accidents, à la violence et au suicide.

LES BONNES NOUVELLES

Ce que nous voulons tous, ce sont des jeunes gens heureux, créatifs, dynamiques et gentils. Nous avons besoin que nos fils deviennent des adultes respectueux et capables de faire face de manière constructive aux défis du XXIe siècle. En attendant, on leur demande simplement d'aider à laver la vaisselle et de ranger leurs chambres.

Au cours des cinq dernières années, des spécialistes (biologistes, sociologues, etc.) se sont penchés sur le problème que posait la véritable nature des garçons, et ont fait des découvertes qui vous enchanteront. Pendant trente ans en effet, il a été de bon ton de nier l'influence de la biologie sur les comportements et d'affirmer que garçons et filles étaient identiques. Mais cette approche ne marchait pas, comme les parents et les enseignants ne cessaient de le répéter. Les recherches actuelles confirment les intuitions des éducateurs sur les particularités des garçons. Aujourd'hui seulement, nous commençons à comprendre comment apprécier leur masculinité dans ses multiples formes, plutôt que de chercher uniquement à la réprimer.

Au fil de ce livre, nous aborderons les nombreux domaines dans lesquels la façon de comprendre les garçons a évolué. Tout d'abord, nous étudierons les *trois grandes étapes* de leur développement ainsi que les transformations psychologiques dues aux *hormones* mâles. Nous verrons comment faciliter chez les garçons ces phases d'évolution causées par la croissance. À partir de récentes découvertes sur l'organisation du *cerveau* masculin, nous vous indiquerons comment aider les garçons à acquérir de l'aisance dans leurs rapports avec autrui. Puis, nous insisterons sur l'importante relation entre la *mère* et son fils, sur le rôle essentiel du *père* et sur les réformes qui pourraient améliorer de façon spectaculaire l'*enseignement des écoles*. Ce chapitre sera illustré par quelques anecdotes et témoignages. Ensuite, nous examinerons la question du *sport* aux vertus bien connues mais aux dangers rarement évoqués, ainsi que l'éveil à la *sexualité*. Enfin, nous verrons comment la *collectivité* tout entière doit jouer un rôle envers les adolescents lors de leur passage à l'âge d'homme.

2.
Les trois étapes
de la croissance

Les garçons ne grandissent pas à un rythme harmonieux et régulier. Les nourrir et laver leurs tee-shirts ne suffit pas à faire d'eux des hommes ! Il faut respecter un certain programme. Quiconque passe du temps avec des garçons ne peut manquer d'être surpris par leurs transformations et les fluctuations de leur humeur et de leur vitalité. La difficulté consiste à comprendre ce dont ils ont besoin et quand.

Toutes les cultures du monde ont dû relever le défi posé par leur éducation. Et elles ont trouvé des solutions. Nous sommes les premiers à manquer d'un véritable plan d'action pour mener ce travail à bien, car notre mode de vie a subi pendant ces dernières décennies un formidable bouleversement. Nous avions trop à faire ailleurs.

Les trois étapes de la croissance des garçons sont universelles. Lorsque je les évoque, parents, éducateurs et enseignants les confirment parce que ma description recoupe leur expérience.

LES TROIS ÉTAPES EN UN COUP D'ŒIL

La première phase, *de la naissance à l'âge de 6 ans,* correspond à l'époque où l'enfant appartient principalement à sa mère. Il est «son» garçon, même si le père tient une place très importante. Les parents doivent lui apporter amour et sécurité, et faire de son entrée dans la vie une expérience chaleureuse où domine le bien-être.

La deuxième phase s'étend de *6 à 14 ans.* Mû par une dynamique intérieure, le garçon cherche à devenir un homme. Il se tourne de plus en plus vers son père pour partager avec lui ses sujets d'intérêt et ses activités, et il est attiré par le monde extérieur. Sa mère reste néanmoins un acteur essentiel. Dans cette étape, l'enjeu pour l'enfant consiste à acquérir compétences et talents tout en développant ses qualités de cœur et le goût du plaisir... En d'autres termes, l'enfant devient une personne équilibrée. Il est heureux d'appartenir à son sexe et prend de l'assurance en tant que mâle.

Enfin, de *14 ans à l'âge adulte,* l'adolescent a besoin de l'apport de modèles masculins extérieurs pour achever sa progression jusqu'à la pleine maturité et définir son identité. Ses parents se mettent un peu en retrait mais doivent veiller à ce que leur entourage fournisse à leur fils des adultes capables de lui servir de guide. Sinon, l'adolescent dépendra d'un groupe de pairs, par essence insuffisant. Pendant cette période, le jeune homme approfondit ses compétences, et forge son sens de la responsabilité et du respect de soi-même en s'intégrant de plus en plus à la communauté des adultes.

Attention ! Il ne faut pas voir dans ces étapes de soudains bouleversements des rapports entre l'enfant et ses parents. Un père et une mère offriront les meilleures conditions d'épanouissement à leur fils en s'investissant tous les deux pendant la totalité de son enfance et de son adolescence. Ces stades d'évolution correspondent plus à un déplacement progressif des pôles d'intérêt : entre 6 et 13 ans, l'enfant fait passer son père au premier plan ; puis à partir de 14 ans, il recherche parallèlement d'autres modèles masculins. Les parents devraient toujours s'assurer de la valeur de leurs guides.

Ces trois étapes fournissent aux parents de nombreuses informations sur la marche à suivre. Par exemple, il est clair que le père ne doit pas se consacrer uniquement à son travail, ni se détacher, physiquement ou affectivement, de la vie de famille. S'il se comporte ainsi, son fils en souffrira obligatoirement.

De même, ce schéma révèle que lorsqu'un garçon atteint l'âge de la puberté, ses parents nécessitent une aide extérieure. Autrefois, cette assistance était fournie par les maîtres qui s'occupaient des apprentis ou par des membres de la famille, tels les oncles et les grands-pères. Trop souvent aujourd'hui, les jeunes font leurs premiers pas dans le monde sans que personne vienne au-devant d'eux. Ils passent leur adolescence et le début de leur vie d'adulte dans un périlleux entre-deux. Certains même ne grandissent jamais.

Provocation, agressivité, démotivation à l'école et petite délinquance ont souvent pour origine le fait que les adultes n'ont pas apporté au bon moment le soutien et les conseils nécessaires. Les étapes de la croissance ont tant d'importance que nous devons les étudier plus en détail et voir comment nous y adapter.

DE LA NAISSANCE À 6 ANS : LES ANNÉES DE LA DOUCEUR

Les bébés sont des bébés. Ils se fichent d'appartenir à un sexe ou à un autre, et nous n'avons pas plus qu'eux à nous en soucier. Les bébés adorent les câlins et les chatouilles ; ils aiment jouer, rire, explorer et comprendre le monde. Leurs personnalités varient beaucoup. Calmes et détendus, certains sont faciles à vivre et passent de longues heures à dormir. D'autres préfèrent l'action au sommeil. D'autres encore, anxieux et râleurs, ont surtout besoin de sentir autour d'eux la présence et l'affection de leurs parents.

Le bien-être du tout-petit repose avant tout sur un lien privilégié avec au moins une personne, le plus souvent sa mère. Parce qu'elle le nourrit, parce qu'elle est la mieux disposée et la plus motivée, parce qu'elle a une attitude le plus souvent tendre et rassurante, une mère est en général la personne la plus apte à répondre aux besoins d'un bébé. Ses hormones (en particulier la prolactine sécrétée pendant l'allaitement) la poussent à vouloir rester avec son enfant et lui accorder toute son attention.

L'allaitement mis à part, un père peut, lui aussi, pourvoir aux besoins d'un bébé, mais il s'y prendra différemment. Les études le montrent plus actif dans ses jeux. Il aime exciter son enfant, tandis que la mère préfère le calmer. Il est vrai que, dans certains couples, seule la mère se lève la nuit pour s'occuper du bébé. Si son mari en faisait autant, le manque de sommeil l'inciterait peut-être à calmer son enfant plutôt qu'à l'exciter !

Les particularités dues au sexe commencent à apparaître

Certaines différences se manifestent tôt. Bébés, les filles possèdent un meilleur sens du toucher et se montrent plus réceptives aux expressions des visages. Les garçons grandissent plus vite et plus en force, mais ils supportent moins bien d'être séparés de leur mère. Quand ils commencent à marcher, ils se déplacent davantage et occupent un espace plus vaste. Ils aiment manipuler des objets et construisent de hauts édifices en cubes. Les filles préfèrent quant à elles les assemblages bas. Les garçons d'âge préscolaire accordent peu d'attention à un nouvel arrivant dans le groupe, tandis qu'il éveille l'intérêt des filles.

Il existe une autre différence. Les adultes ont tendance à traiter les garçons plus durement. Des études ont montré que, dès le berceau, les parents prennent beaucoup plus les filles dans leurs bras pour les cajoler. Ils parlent moins aux bébés mâles. Et les mères ont la main plus leste avec leurs fils.

C'est avec sa mère – si elle s'occupe de lui – qu'un garçon construit sa première relation d'intimité et d'amour, relation qui lui servira de modèle par la suite. Elle doit cependant poser des limites à ce rapport particulier dès que l'enfant est en âge de marcher. Si elle s'y prend avec fermeté mais sans coups ni humiliations, son fils les acceptera sans difficulté. Il saura qu'il tient une place spéciale dans son cœur.

L'intérêt et le plaisir qu'elle prend à l'éduquer et à lui parler l'aident à développer ses aptitudes verbales et à le rendre plus sociable. Nous verrons plus tard que ce rôle de la mère est fondamental pour les garçons, car ils ont plus de mal à assimiler le savoir-faire social que les filles.

Quand une mère est dépressive et donc passive pendant la première ou les deux premières années de la vie de son fils, le cerveau de l'enfant peut subir des altérations et devenir un «cerveau triste». Si elle a un tempérament colérique et qu'elle l'effraie, le frappe ou le blesse, il mettra en doute son amour pour lui. Une mère a une tâche lourde et capitale qui nécessite le soutien d'autres personnes. Il lui faut des moments de détente pour bien remplir sa fonction. Elle a besoin qu'on prenne soin d'elle afin qu'elle puisse à son tour prendre soin de son bébé.

Une mère se réjouit de voir son fils attraper des lézards ou faire des pâtés de sable. Elle admire ses réussites. Un père aime le chatouiller et jouer à la bagarre avec lui, mais il doit également se montrer affectueux et éducateur. Quand il lit des histoires à son enfant ou le réconforte quand il est malade, il lui apprend que les hommes ne sont pas seulement actifs mais qu'ils sont également gentils... Et qu'ils savent apprécier la lecture et se rendre utiles à la maison. À travers l'image que lui renvoie son père, un garçon se forge sa propre perception du rôle de l'homme.

Crèches et garderies ne conviennent pas aux petits garçons

Dans la mesure du possible, jusqu'à 3 ans, un garçon devrait rester pendant la journée avec un de ses parents. Les centres d'accueil collectifs, crèches, jardins d'enfants ou haltes-garderies, ne sont pas adaptés à sa nature avant cet âge. De nombreuses études ont montré que les séparer de leur mère angoissait davantage les garçons que les filles. Beaucoup éprouvent un sentiment d'abandon qui les conduit à se replier sur eux-mêmes. Certains réagissent en se montrant agités ou agressifs, au risque d'acquérir une réputation qui les poursuivra jusqu'à l'école.

Les enfants de moins de 3 ans ont besoin de passer les longs jours de la petite enfance avec des gens pour qui ils sont uniques. Quand leurs parents ne sont pas disponibles, un membre de la famille ou une nourrice attentionnée leur conviendra mieux que la crèche. Un garçon doit apprendre ses premières leçons dans l'intimité, l'affection, la confiance et le plaisir.

En bref

Jusqu'à 6 ans, le sexe d'un enfant n'a pas grande importance. La mère est en général le parent le plus présent, mais le père peut aussi tenir ce rôle. L'essentiel, c'est qu'une ou deux personnes clés aiment cet enfant et le placent au centre de leur attention pendant ses premières années. Le sentiment de protection qu'il en tire lui donne une assurance qu'il gardera toute sa vie. Cet échange dans le cadre intime d'une relation privilégiée l'ouvre à l'amour de l'apprentissage et de la communication.

Ces années passent vite. Profitez de votre petit garçon tant qu'il est temps !

DE 6 À 13 ANS : DEVENIR UN GARÇON

Un grand changement survient vers 6 ans chez les garçons. Leur masculinité semble soudain «s'enclencher». Même ceux qui n'ont que peu regardé la télévision veulent soudain jouer avec des épées, porter des capes de Superman, chahuter et faire beaucoup de bruit. Un autre événement important se produit, et on a observé ce phénomène dans toutes les sociétés du monde. Vers 6 ans, les petits garçons semblent se «brancher» sur leur père, ou leur beau-père, ou tout homme à portée de main. Ils veulent être avec lui, apprendre de lui et le copier. À travers lui, ils étudient la façon d'«être un mâle».

Si le père ignore son fils à cette époque, l'enfant emploiera les grands moyens pour attirer son attention. J'ai eu en consultation un petit garçon qui souffrait de maladies à répétition sans cause apparente. Il finit par entrer en service de soins intensifs. Son père, un spécialiste médical de premier plan, revint alors d'une conférence à l'étranger pour veiller sur lui. La santé de l'enfant s'améliora. Lorsque le père repartit pour une autre conférence, le garçon fit une rechute. En désespoir de cause, nous avons demandé au père d'envisager de renoncer à un mode de vie qui l'obligeait à être en déplacement huit mois par an ! Il l'a fait et son fils n'a plus été malade depuis.

Juste pour que leur père s'intéresse à eux, les garçons peuvent adopter toutes sortes de comportements à problèmes tels que faire pipi au lit, voler ou être violents à l'école.

Maman compte toujours autant

Ce déplacement d'intérêt vers le père ne signifie pas que la mère n'est plus dans la course. Dans certains pays, aux États-Unis notamment, beaucoup de mères prennent à ce moment-là de la distance avec leurs fils pour les «endurcir». C'était aussi à cet âge que la haute bourgeoisie britannique envoyait ses garçons en pensionnat. Or, il apparaît aujourd'hui que ces réactions n'ont aucun fondement justifié. Au contraire, les garçons ont besoin de savoir qu'ils peuvent compter sur leur mère. Se retrouver privés de la chaleur de son affection ne leur apporte rien mais peut avoir un effet néfaste. L'idéal pour eux consiste donc à rester proches de Maman, tout en comptant davantage sur Papa. Si un père trouve que son fils a du mal à se détacher de l'univers de sa mère (ce qui peut arriver), elle n'a pas à en subir le reproche. C'est à lui de s'investir davantage. Peut-être effraie-t-il simplement l'enfant en se montrant trop critique ou trop exigeant ?

Quand une mère prive brutalement un garçon aussi jeune de sa présence ou des marques de son affection, l'enfant cherche un moyen de supporter son chagrin et sa souffrance. De fait, il se coupe de la partie de son être nourrie par le contact maternel – sa partie tendre et aimante. Il trouve trop douloureux d'éprouver des sentiments que sa mère ne lui rend plus. Mais en refoulant ainsi ses émotions, il court le risque d'avoir, plus tard, du mal à manifester son affection à sa compagne ou à ses enfants. Nous connaissons tous des hommes comme ça, mal à l'aise dès qu'il s'agit de faire preuve de chaleur dans les relations humaines, qu'elles soient d'ordre professionnel ou privé. Nous pouvons éviter à nos fils de souffrir des mêmes problèmes. N'hésitons pas à les prendre dans nos bras qu'ils aient 5, 10 ou 15 ans.

AIDE PRATIQUE

Les cinq règles de base de la paternité

1. Commencer tôt. Investissez-vous dans la grossesse : parlez de vos projets pour l'enfant, assistez aux échographies et à la naissance. Occupez-vous du bébé dès le départ, c'est la période clé pour établir de bonnes relations. S'occuper d'un nourrisson provoque un «déclic» hormonal, y compris chez les hommes, et modifie les priorités dans la vie. Vous verrez ! Un père qui s'occupe physiquement d'un nouveau-né échappe rarement à la fascination et partage souvent une grande intimité avec le bébé. Monsieur peut très bien devenir, par exemple, le membre du couple qui réussit le mieux à rendormir le petit chéri au milieu de la nuit – en le berçant, en le promenant de long en large, en récitant les cours de la Bourse ou en utilisant toute autre méthode qui marche. N'acceptez pas de rester sur la touche en présence d'un nourrisson. Si vous vous sentez maladroit devant un être aussi fragile, demandez de l'aide et des conseils à la mère et à des amis plus expérimentés ! Et tirez fierté de vos progrès !

Même si votre métier a tendance à vous accaparer, profitez de vos moindres loisirs pour vous immerger dans la relation avec votre enfant. Quand celui-ci atteint sa deuxième année, demandez à votre compagne de vous laisser seul avec lui pendant un week-end. Vous vérifierez ainsi que vous savez vous débrouiller seul.

2. Prendre du temps. C'est le point essentiel. Pour les hommes qui me lisent, aucune phrase de cet ouvrage n'a autant d'importance que celle-ci : vous ne ferez pas un bon père si vous travaillez régulièrement cinquante-cinq à soixante heures par semaine, trajets inclus. Votre fils aura des problèmes dans la vie, et ce sera de votre faute. Un père doit rentrer à la maison à temps pour pouvoir jouer, rire et discuter avec ses enfants. Il est vrai que travailler dans une grande ou petite entreprise oblige souvent à délaisser sa vie de famille. La solution consiste parfois à accepter un revenu inférieur en échange de plus de disponibilité. La prochaine fois qu'on vous propose une promotion impliquant un allongement des horaires et des déplacements plus nombreux, envisagez sérieusement de répondre à votre patron : «Désolé, mes enfants passent d'abord.»

3. Manifester ses émotions. Les embrassades, les chatouilles et les chahuts peuvent continuer jusqu'à l'âge adulte ! Partagez aussi des moments plus calmes – les enfants apprécient qu'on leur raconte des histoires, qu'on bavarde, qu'on chante ou qu'on joue de la musique. N'hésitez pas à leur dire à quel point vous les trouvez merveilleux, beaux, créatifs et intelligents (souvent et du fond du cœur). Si vos propres parents ne vous ont pas montré comment faire, il ne vous reste qu'à apprendre.

Certains craignent qu'en cajolant leur fils, ils en feront une «mauviette», ou plus exactement un «pédé». Ils se trompent. Beaucoup d'homosexuels ou de bisexuels estiment au contraire qu'un manque de tendresse paternelle a contribué à les rendre plus sensibles aux marques d'affection masculines.

4. Se montrer léger. Profitez de vos enfants. Vous ne leur offrirez que du deuxième choix en leur consacrant du temps par culpabilité ou obligation. N'hésitez pas à tenter des expériences pour vous trouver des activités communes avec eux. Ne les chargez pas d'un excès d'obligations, mais insistez pour qu'ils contribuent aux tâches ménagères. Limitez à un maximum de deux les sports ou les activités qu'ils pratiquent, afin qu'ils aient du temps pour «se laisser vivre». Cessez de courir et rendez-vous disponible pour des promenades, des jeux et des discussions. Évitez la compétition au-delà de ce qui est amusant. Transmettez à vos enfants en permanence vos connaissances.

5. Faire le poids. Certains pères d'aujourd'hui sont des «papas poids plume», des «copains» qui laissent tout le travail à leurs compagnes. Impliquez-vous dans les décisions, et surveillez les devoirs et la participation aux tâches ménagères. Établissez des méthodes de discipline qui allient sang-froid et fermeté, mais sans châtiments corporels bien que vous puissiez avoir besoin d'immobiliser de jeunes enfants de temps à autre. Insistez sur le respect. Écouter les enfants et tenir compte de leurs sentiments ne signifie pas devenir l'un d'eux. Et faites le point régulièrement avec votre compagne : «Comment nous débrouillons-nous dans l'ensemble ?», «Quels changements devons-nous apporter ?», etc. Remplir en équipe votre rôle de parents ajoutera un lien de plus à votre couple.

AIDE PRATIQUE

Avoir un garçon de petite taille

Beaucoup de parents s'inquiètent quand leur enfant grandit moins vite que la moyenne. Il semblerait que cette inquiétude soit dans la plupart des cas sans fondement, comme le montre cette étude récente basée sur cent quatre-vingts garçons et soixante-dix-huit filles âgés de 8 à 14 ans. Leur taille s'écartait suffisamment de la moyenne pour qu'ils relèvent d'un centre spécial d'évaluation. L'enquête a déterminé que les enfants petits n'ont pas plus de difficultés d'adaptation que les autres. Elle contredit des études antérieures qui dénombraient plus d'enfants timides, anxieux ou déprimés parmi les petits.

Le brassage à l'œuvre dans notre société joue peut-être un rôle en nous habituant aux différences. Cela dit, ne pas être dans la norme provoque toujours un stress. Un enfant qui a des relations aisées avec ses parents et qui reçoit d'eux des compliments et des marques d'estime en souffrira moins.

Les garçons interrogés dans le cadre de l'étude disaient avoir moins de camarades que les garçons de taille moyenne, mais ils ne posaient pas plus de problèmes de conduite. Quant aux filles, elles faisaient souvent preuve d'un meilleur équilibre psychologique. Avoir des parents eux-mêmes petits semblait beaucoup faciliter les choses, sans doute parce qu'ils leur offraient un exemple positif. Ces mêmes parents se montraient d'ailleurs moins anxieux et envisageaient plus rarement la situation sous un angle médical.

Les possibilités offertes par la science moderne peuvent conduire à des excès. En général, il n'y a aucune raison de recourir à la médecine. Et pourtant, quelque vingt mille enfants américains ont à ce jour suivi un traitement hormonal d'un coût de près de 180 000 F, afin de résoudre un problème de taille. Les médecins ne doivent le recommander qu'en cas d'impérieuse nécessité, par exemple quand une déficience des glandes surrénales entrave la croissance naturelle. Les pédiatres mettent les parents en garde contre la tentation de le suivre pour des raisons psychologiques. Douloureux et lourd, ce traitement hormonal peut avoir des conséquences néfastes qui dépassent largement ses avantages.

Les préjugés sur la taille n'ont pas plus de fondement que les apriori touchant à la couleur de la peau.

Trouver un homme à qui ressembler

Le garçon de 6 à 14 ans adore toujours sa mère et continue d'apprendre beaucoup avec elle. Mais ses intérêts changent : il tourne davantage son attention vers ce que les hommes ont à offrir. Un garçon sait qu'il se transforme en homme, et pendant sa transformation, il a besoin de «se procurer le mode d'emploi».

La mère doit accepter cette évolution tout en restant une source d'affection et de soutien. Pour bien remplir son rôle, le père doit s'investir de plus en plus. Si l'enfant n'a pas de père, il dépendra davantage de l'exemple fourni par d'autres hommes, entre autres à l'école ou dans des activités périscolaires.

Les mères célibataires

Élever des garçons sans homme à la maison n'a rien de nouveau ; des femmes relèvent ce défi depuis des milliers d'années. Et beaucoup réussissent à faire de leurs fils des adultes épanouis. Mais – et c'est un grand mais – celles qui ont réussi insistent toujours sur le fait qu'elles ont trouvé pour leurs fils de bons modèles masculins, appelant à la rescousse des oncles, des amis, des enseignants, ou des animateurs sportifs ou socio-culturels. Bien entendu, elles les avaient choisis avec soin. Elles mettent aussi en avant la nécessité de s'occuper de soi-même en s'accordant du temps libre, en voyant des amis, en faisant de la gymnastique, etc. Cela est indispensable pour tenir le coup.

AIDE PRATIQUE

Déficit de l'attention ou déficit d'attention paternelle ?

Il y a deux ans, un chauffeur routier appelé Georges est venu me voir après une conférence pour me raconter son histoire.

Un an plus tôt, on avait diagnostiqué chez son fils âgé de 8 ans un trouble du déficit de l'attention, un désordre psychologique qui s'accompagne souvent d'hyperactivité. Quand il avait lu le rapport médical, Georges avait cru que ce «déficit de l'attention» signifiait que son fils Marc ne recevait pas assez d'attention. Qu'est-ce que cela aurait pu signifier d'autre ?

Georges décida donc de passer plus de temps avec Marc. Il avait jusqu'à présent considéré qu'il valait mieux laisser l'éducation des enfants à la «patronne», tandis qu'il travaillait pour payer les factures. Tout cela changea. Pendant les vacances, et après l'école chaque fois que possible, Marc roulait en camion avec son père. De même, Georges avait l'habitude de passer le week-end avec ses amis passionnés de motos de collection. Désormais, Marc les accompagna.

«On a dû faire attention à ce qu'on disait et se tenir un peu plus à carreau,» me dit Georges avec un sourire, «mais les gars ont tous compris et certains ont commencé à amener leurs gosses aussi.»

Bonne nouvelle, Marc s'est tellement calmé en deux mois qu'il a arrêté la ritaline. Il n'a plus de «déficit de l'attention». Mais père et fils continuent de sortir ensemble. Parce qu'ils y prennent plaisir. Attention : nous ne sommes pas en train de dire ici que tous les cas de trouble du déficit de l'attention sont dus en réalité à un manque d'attention paternelle, mais juste que c'est souvent le cas. (Pour plus de détails sur le déficit de l'attention et les garçons, voir l'appendice en fin de volume.)

En bref

Pendant toute l'école primaire et le début du collège, les enfants devraient passer beaucoup de temps avec leurs parents pour profiter de leur aide, de leurs conseils et du plaisir de leur compagnie. Le père prend davantage d'importance aux yeux de son fils qui est prêt à s'inspirer de son exemple et à profiter de son expérience. C'est à lui que le garçon accordera souvent le plus d'attention... De quoi rendre une mère folle de rage !

Cette période, de 6 à 14 ans environ, doit être mise à profit par le père pour établir une certaine influence sur son fils ainsi que les fondements de sa masculinité. Il lui faut pour cela du temps libre. Les petites choses comptent : aller au parc jouer au ballon, se promener en parlant de tout et de rien, raconter son enfance, partager un hobby ou soutenir la même équipe de football. C'est l'époque où s'accumulent les bons souvenirs qui nourriront votre fils et vous pendant des années.

Ne vous découragez pas si votre garçon vous la joue «cool» comme il a appris à le faire de ses copains de classe. Persistez et vous découvrirez derrière ce vernis superficiel un enfant rieur et joueur. Profitez de cette période où il a vraiment envie d'être en votre compagnie. À partir de l'adolescence, les sirènes du monde extérieur ne cesseront plus de l'éloigner de vous. Je ne peux faire mieux ici que d'insister : ne vous y prenez pas trop tard !

À PARTIR DE 14 ANS : DEVENIR UN HOMME

À 14 ans environ, une nouvelle étape commence. En général, le garçon connaît alors une poussée de croissance. Ce qui se passe à l'intérieur de son corps, et que nous ne voyons pas, est tout aussi remarquable : dans ses veines, le taux de testostérone a augmenté de près de 800 % !

Au-delà des particularités individuelles, c'est un âge où l'on fait souvent preuve d'esprit de contradiction, de manque de patience et de mauvaise humeur. Ce comportement ne signifie pas que l'adolescent tourne mal, juste qu'il naît à une nouvelle forme d'être et qu'une naissance implique toujours une lutte. Il a besoin de trouver les réponses à de grandes questions, de se lancer dans des aventures risquées et d'affronter de nouveaux défis. Il lui faut acquérir les compétences nécessaires à une vie autonome, et son horloge biologique le presse d'avancer.

Je pense que, dans notre société, c'est l'âge où les enfants peuvent le moins compter sur le monde adulte. Nous ne leur proposons rien d'autre que «davantage de la même chose» : plus d'école et plus de contraintes routinières. Mais l'adolescent aspire à bien plus. Alors que sur le plan hormonal et physique, il est prêt à se transformer en adulte, nous voulons qu'il attende encore cinq ou six ans ! Pas étonnant que des problèmes surgissent.

Un garçon de cet âge a besoin d'un objectif à la mesure de son énergie, un but qui lui permettra de donner le meilleur de lui-même tout en lui ouvrant de nouveaux horizons. Tout ce qui nourrit les cauchemars des parents (l'inconscience sur la route, l'alcool, la drogue et la délinquance) n'aurait pas d'attrait pour les adolescents s'ils avaient d'autres exutoires à leur désir de gloire et d'héroïsme. Mais l'image qu'ils ont de la société ne leur laisse pas grand-chose en quoi croire ou à quoi adhérer. Leur révolte elle-même finit sous cellophane pour leur être revendue par l'industrie du disque et du prêt-à-porter.

L'adolescent cherche à se dépasser, à atteindre de nouveaux sommets, mais il n'y parvient pas parce que nous ne lui en offrons pas la possibilité.

L'exemple des sociétés traditionnelles

Depuis l'âge de pierre, dans toutes les cultures nées avant la nôtre, de l'Arctique à l'Afrique, les enfants ont toujours reçu à l'adolescence un supplément d'attention de la part de la communauté tout entière. Ces sociétés possédaient un savoir qui nous fait défaut aujourd'hui : deux parents ne peuvent pas élever un adolescent sans l'aide d'autres adultes dignes de confiance et prêts à s'investir à long terme.

En effet, un garçon de 14 ans et son père se rendent mutuellement dingues. Face à un adolescent, un père doit savoir se contenter de lui donner de l'amour. Essayer en plus de lui apprendre quelque chose a toutes les chances de tourner à l'épreuve de force. Les deux mâles entrent en compétition ; le ton se met à monter, et le dialogue devient impossible. La venue d'une personne extérieure à la famille leur permettra de souffler. Nous vous conseillons d'excellents films qui traitent ce sujet avec discernement comme, par exemple, *À la Recherche de Bobby Fisher*, de Steven Zaillan (1993).

Les cultures traditionnelles faisaient deux choses pour faciliter le passage à l'âge adulte. Tout d'abord, elles donnaient aux jeunes gens des guides, une ou plusieurs personnes de leur sexe, qui les prenaient en charge et leur transmettaient les savoirs dont ils auraient besoin plus tard. Ensuite, à divers stades de ce processus d'éducation, la communauté tout entière organisait des cérémonies ou des épreuves d'initiation. Celles-ci marquaient, voire imposaient, le franchissement d'une étape. La collectivité reconnaissait ainsi «officiellement» la sortie de l'enfance, mais attendait aussi du jeune initié qu'il assume désormais de nouvelles responsabilités.

TÉMOIGNAGE

Une initiation Lakota

Le film *Danse avec les loups* vous a peut-être rendus familiers les Indiens d'Amérique connus sous le nom de Lakota. Ils formaient une ethnie dynamique et prospère, dotée d'une riche culture et caractérisée par les excellentes relations qui existaient entre hommes et femmes.

Vers l'âge de 14 ans, les jeunes garçons Lakota devaient effectuer leur «quête de vision». Pendant cette épreuve d'initiation, ils restaient assis sans manger sur un rocher jusqu'à ce que la faim provoque l'hallucination qui leur permettrait de rencontrer la créature surnaturelle dont ils feraient leur guide spirituel pendant toute leur vie.

L'adolescent, déjà affaibli par le jeûne, tremblait de peur tout seul dans la montagne, en entendant des bêtes rôder autour de lui. Postés dans les fourrés, les hommes de la tribu imitaient les grondements des couguars pour lui faire peur tout en veillant sur lui. Les Lakota accordaient trop de prix à une jeune vie pour la mettre en danger sans nécessité.

Quand le garçon finissait par rejoindre le camp, la tribu fêtait sa réussite. Mais à compter de ce jour, pendant deux années entières, il n'avait pas le droit de parler directement à sa mère.

Chez les Lakota, comme dans tous les groupes de chasseurs-cueilleurs, les mères et leurs enfants partageaient une grande intimité dans les huttes ou les tentes des femmes. Si un garçon, à son entrée dans l'âge d'homme, ne mettait pas une distance entre lui et sa mère, il risquait de ne pas résister au pouvoir d'attraction de l'enfance et de «retomber» alors dans le monde des femmes. Il ne grandirait alors jamais.

Au bout de deux ans, une cérémonie fêtait les retrouvailles de la mère et du fils. Ce dernier avait eu le temps de se détacher du cocon maternel. Devenu un homme, il était à présent capable d'avoir avec sa mère une autre relation que celle qu'il avait enfant.

Les femmes à qui j'ai parlé de cette coutume ont souvent eu une réaction chargée d'émotion. La description éveillait en elles chagrin et joie à la fois. Les mères Lakota devaient accepter de «renoncer» à leurs fils. En contrepartie, elles savaient qu'ils leur reviendraient grandis et capables d'avoir avec elles des rapports d'amitié et de respect.

Nous pouvons comparer l'expérience des Lakota avec les relations qu'entretiennent aujourd'hui beaucoup d'hommes avec leur mère. Certains restent toute leur vie prisonniers d'un rapport embarrassé où ils se montrent soit distants, soit infantiles. Ils n'osent pas rester proches, mais comme rien ne leur a permis de laisser réellement leur enfance derrière eux, ils ne prennent jamais complètement leur autonomie. Par la suite, ils se comportent avec les femmes de façon dépendante et immature, tout en refusant de s'engager pour ne pas se sentir maternés, et donc contrôlés. N'ayant pas été accueillis dans la communauté des adultes, ils se méfient de leurs pairs et ont peu d'amis sincères. Ce sont véritablement des «hommes de nulle part».

Les jeunes hommes doivent donc quitter le monde des femmes pour briser le moule du rapport à la mère et établir des relations adultes avec les personnes du sexe opposé. Il leur faut pour cela subir une métamorphose, et c'est à leurs aînés de les aider. Il y aurait sûrement moins de femmes battues ou de mariages brisés bêtement si nous savions mieux soutenir les jeunes gens à ce moment difficile.

Peut-être vous dites-vous que, dans les sociétés traditionnelles, les parents éprouvaient de l'amertume ou de la crainte à voir leurs enfants placés sous l'autorité d'autres personnes. Il n'en était rien. Ils connaissaient depuis toujours ceux qui avaient en charge l'initiation et avaient toute confiance en eux. Les femmes accueillaient cette aide avec reconnaissance car elles en connaissaient le besoin. Elles se séparaient d'un garçon en plein âge ingrat et retrouvaient un jeune homme plus mûr et mieux intégré. Elles étaient probablement très fières de lui.

L'initiation qui marquait le passage à l'âge adulte n'était pas juste une «virée de week-end». L'adolescent passait souvent des mois à apprendre comment se comporter en homme, quelles responsabilités lui incombaient, et vers qui se tourner en cas de doute. Nous entendons surtout parler des cérémonies, mais elles n'étaient que les temps forts du processus. Même douloureuses ou effrayantes, les épreuves imposées avaient un sens et les initiés qui les avaient subies leur accordaient une grande valeur.

En résumé, les sociétés traditionnelles avaient besoin pour survivre d'hommes équilibrés et responsables. C'était une question de vie ou de mort qui ne pouvait être laissée au hasard. Pour atteindre ce résultat, elles ont donc mis en œuvre des modes d'éducation très efficaces où toute la communauté adulte s'investissait dans un effort concerté.

AIDE PRATIQUE

Les garçons et l'arrogance

Il n'y a pas si longtemps, on élevait les garçons dans l'idée que les femmes devaient les servir. Dans certaines cultures, les représentants du sexe masculin sont encore traités comme de petits dieux. Chez nous aujourd'hui, les enfants trop choyés qui font preuve d'arrogance sont considérés comme d'odieux garnements que tout le monde préfère tenir à l'écart.

Enseigner l'humilité aux garçons est donc très important. Et rien ne vaut la pratique dans ce domaine : présenter des excuses si l'on s'est mal conduit, se rendre utile à la maison, toujours traiter les autres avec respect. Les enfants ont besoin de connaître leur place dans le monde, ou la vie se chargera tôt ou tard de la leur apprendre.

Chaque fois qu'un jeune vous fait violence, en vous frôlant en skateboard, en vous bousculant dans un magasin ou en cambriolant votre appartement, vous avez affaire à un enfant à qui ses parents n'ont pas suffisamment appris l'humilité.

L'égocentrisme est un penchant naturel à l'adolescence, à cet âge où l'on a tendance à adapter son code moral à ses propres intérêts. Le devoir des parents consiste à rappeler à leurs enfants qu'ils ne sont pas seuls, et à discuter avec eux de ce qui est juste ou pas, et de ce qui est bien ou mal. Ils doivent insister sur certaines valeurs fondamentales : «Assume tes responsabilités», «Va au bout de tes raisonnements», «Pense aux autres», «Réfléchis aux conséquences.» Aimer ses enfants ne suffit pas ; il faut aussi leur montrer les limites à ne pas dépasser. Les mères commencent ce travail, les pères le poursuivent et les aînés le terminent si la leçon n'est toujours pas assimilée.

Une bonne stratégie avec les garçons consiste à les diriger vers des activités bienfaisantes envers des personnes âgées, des handicapés ou de petits enfants par exemple. Ils découvrent ainsi le plaisir de rendre service tout en renforçant leur estime personnelle.

Dans le monde moderne

Aujourd'hui, l'action d'autres adultes que les parents dans l'éducation d'un enfant est plutôt rare. Elle dépend de la situation familiale et reste fragmentaire. Beaucoup de jeunes gens s'en trouvent presque entièrement privés. Qu'ils soient professeurs, entraîneurs de sport, oncles ou employeurs, les hommes qui remplissent ce rôle de conseillers et d'exemples en comprennent rarement la portée et s'y prennent souvent mal. Autrefois, l'entrée dans le monde du travail fournissait de tels guides, en particulier aux apprentis. La ou les personnes qui leur enseignaient leur métier leur expliquaient aussi beaucoup de choses sur l'existence en général. Aujourd'hui, ce genre de rapport a pratiquement disparu. Qu'allez-vous apprendre de la vie en travaillant pendant les vacances dans le supermarché local ?

TÉMOIGNAGE

L'histoire de Michael, de Stan et de la moto

Michael détestait l'école. Aussi, dès l'âge de 16 ans, il se mit à chercher un emploi. Il eut la chance d'être embauché par Stan qui tenait une pizzeria. Âgé d'environ 35 ans, Stan s'était fait une bonne clientèle et avait besoin d'aide.

Michael adorait sa nouvelle vie. Il prit de l'assurance et sa voix devint plus grave. Parallèlement, son compte en banque grossissait. Mais ses parents avaient maintenant un nouveau sujet d'inquiétude. Michael s'était mis en tête d'acheter une moto – une grosse moto – pour aller travailler. Or, leur maison se trouvait dans les montagnes sur une route sinueuse et souvent glissante. Ses parents voyaient donc avec horreur le montant de ses économies approcher du prix de la moto. Ils suggérèrent une voiture, en vain. Le temps passa.

Un soir, en rentrant à la maison, Michael marmonna quelque chose en s'asseyant à table pour dîner. Quelque chose au sujet d'une voiture. Ses parents lui demandèrent de répéter, en se demandant s'ils ne rêvaient pas. «Oh, je ne vais pas acheter une moto. J'ai en parlé avec Stan. Il pense qu'il faut être idiot pour acheter une moto en habitant ici. D'après lui, je devrais attendre et prendre une voiture.» «Béni sois-tu, Stan !» pensèrent les parents sans pour autant montrer leur soulagement. Ils se contentèrent de sourire et de servir le repas.

Faire appel à l'aide des autres

Entre 14 et 20 ans, l'adolescent se prépare à entrer dans le monde adulte et se sépare progressivement de ses parents. Ceux-ci doivent accepter ce changement tout en restant prudents et vigilants. Car c'est l'époque où un adolescent se crée une existence indépendante de sa famille. Il a des copains que vous ne connaissez pas ou à peine ; il vit des expériences dont vous n'entendez pas parler ; et il affronte des défis pour lesquels vous ne pouvez pas l'aider. Rien de rassurant !

Un garçon de 14 ou 16 ans n'est toutefois pas prêt à être «lâché dans la nature». Il a besoin d'être guidé. Les parents doivent s'assurer que leur fils bénéficie d'un repère solide qui ne soit pas un groupe d'amis de son âge mais un adulte capable de le conseiller et de veiller sur lui. Un bon guide est toutefois plus qu'un donneur de conseils. Il doit avoir avec l'enfant une relation profonde basée sur la confiance et l'affection mutuelles. Si un garçon de 16 ans a tendance à prendre le contre-pied de ce que lui disent ses parents, il écoutera un avis venu de l'extérieur. Le jeune commet à cette époque ses «glorieuses erreurs» et l'adulte en qui il aura placé sa confiance pourra veiller à ce que ces erreurs ne soient pas fatales.

D'autre part, les parents doivent s'assurer que le guide maîtrise son rôle de conseiller, et ne pas hésiter à influer sur le choix de cette ou ces personnes. Faire partie d'un groupe social uni apporte une grande aide, qu'il s'agisse d'une association, d'un club sportif, d'une paroisse active ou d'un cercle d'amis très liés.

Vous avez besoin de ce genre de relations pour remplacer les oncles et les tantes de jadis, pour que des gens connaissent bien vos enfants, qu'ils les aiment et apprécient leur compagnie. Ces amis s'intéresseront sincèrement à eux, discuteront, écouteront leurs opinions. Avec un peu de chance, ils leur ouvriront leur porte, leur «botteront les fesses» à l'occasion et prêteront l'oreille à leurs doléances quand l'ambiance à la maison devient un peu tendue. Combien de mères ont vu leur fille adolescente se précipiter, après une violente dispute, chez la meilleure amie de Maman, un peu plus bas dans la rue, pour lui raconter ses malheurs. C'est à ça que servent les amis ! Et vous pouvez en faire autant avec leurs enfants. Les adolescents des autres se révèlent très agréables !

Les enfants isolés sont en danger

Les adolescents souffrent beaucoup de l'isolement de leurs parents. J'en ai personnellement fait l'expérience. Mes parents, déjà timides avant d'émigrer en Australie, le devinrent encore plus après leur arrivée. Ils ne réussirent jamais à s'inscrire dans un cercle d'amis où leurs enfants auraient pu prendre leur essor progressivement. À 15 ans, ma sœur et moi avons pris des risques en allant voir seuls ce qu'il y avait ailleurs. Nous nous en sommes bien tirés, mais nous avons eu de la chance. Certains jeunes qui n'arrivent pas à s'élancer seuls dans la vie souffrent de troubles psychologiques tels que l'anorexie ou des tendances suicidaires. D'autres se révoltent avec force et rejoignent alors une bande qui risque de les pousser à la consommation de drogue et à la délinquance.

Quand vos enfants grandissent, vous devez vous forcer à mettre le nez dehors afin de créer un réseau de connaissances qui fasse le lien entre le cercle familial et le vaste monde. On ne peut pas être de bons parents en vivant en ermites.

Et s'il n'y a pas de guide disponible ?

Un jeune homme qui ne dispose pas de sources de conseils dans son entourage tombera dans de nombreuses ornières avant de parvenir à l'âge adulte. Il risque de s'opposer sans raison à ses parents pour affirmer son autonomie. Il peut devenir renfermé et déprimé. Les adolescents ont tant de dilemmes à résoudre et de décisions à prendre à propos de la sexualité, de leur avenir professionnel ou de l'attitude à adopter envers la drogue et l'alcool. S'ils gardent de bonnes relations avec leurs parents, et si ceux-ci restent en contact avec leur univers, ils continueront de discuter de leurs problèmes avec eux. Mais ils auront aussi besoin de parler avec d'autres adultes. Une étude a montré qu'à cet âge, avoir un ami adulte hors de la famille réduisait de manière significative les risques de délinquance juvénile. Pour autant que l'ami ne soit pas lui-même délinquant, bien sûr.

Les jeunes gens sont prêts à tout pour structurer leur vie et lui donner un sens. Ils peuvent se convertir à un culte oriental, disparaître dans l'Internet, se passionner pour la musique ou le sport, ou entrer dans une bande. Si nous ne donnons pas à nos enfants une communauté à laquelle appartenir, ils se construiront la leur. Mais une communauté composée uniquement de pairs ne suffit pas. Elle ne peut être que la réunion d'âmes égarées et incapables de s'aider mutuellement par manque d'expérience et de compétences. Et malheureusement, de nombreux garçons n'ont d'autre appui que des groupes d'amis peu homogènes dont les membres partagent peu et qui n'offrent pas de véritable soutien affectif.

La pire chose que nous puissions faire aux adolescents est de les laisser livrés à eux-mêmes. C'est pourquoi nous avons particulièrement besoin de bons professeurs, de bons entraîneurs sportifs et de bons animateurs socioculturels. Nous avons besoin qu'ils soient suffisamment nombreux pour que chaque enfant puisse trouver une source de conseils auprès d'un adulte pour qui il comptera vraiment. C'est beaucoup demander.

Dans notre société moderne, les enfants jouissent surtout de bons soins maternels. Les pères ont recommencé à remplir leur rôle, mais il nous reste un grand défi à relever : offrir aux adolescents des adultes de confiance sur qui ils pourront prendre exemple et dont ils suivront les conseils.

EN BREF

1. De la naissance à 6 ans, les garçons ont besoin de beaucoup d'affection afin d'«apprendre à aimer». Échanges et apprentissage en tête-à-tête les aident à se relier au monde. Pendant cette période, la mère est généralement la personne la plus apte à établir cette relation, mais le père est bien sûr invité à y participer.

2. Vers 6 ans, les garçons montrent un grand intérêt pour la masculinité et le père passe au premier plan. Il est essentiel qu'il consacre du temps à s'occuper de son fils. Le rôle de la mère reste toutefois très important et elle n'a pas à prendre ses distances parce que son garçon a grandi.

3. À partir d'environ 14 ans, les adolescents ont besoin d'entretenir des relations personnelles avec d'autres adultes qui leur serviront de guides et les aideront à élargir graduellement leur champ d'action. Les cultures traditionnelles planifiaient l'intervention de «mentors» et donnaient une dimension cérémonielle à la sortie de l'enfance.

4. Pour réussir l'éducation de leurs garçons, les mères célibataires doivent leur trouver de bons modèles masculins et consacrer du temps à prendre soin d'elles-mêmes puisqu'elles assument le travail de deux personnes.

LES DIFFÉRENCES ENTRE SEXES EXISTENT !

Selon la théorie en vogue pendant ces trente dernières années, il n'existe pas d'autres différences entre les garçons et les filles que celles que nous leur donnons par le biais du conditionnement. Toutes les différences de comportement entre les sexes proviennent donc des vêtements, des jouets, etc., attribués dès leur plus jeune âge aux enfants. Des parents et des instituteurs bien intentionnés ont cru à cette théorie avec ferveur et fait de grands efforts pour amener les garçons à jouer avec des poupées et les filles à se lancer dans les assemblages de Lego. Ils pensaient qu'en faisant disparaître les différences dans l'éducation, on gommerait également les différences et les inégalités entre les sexes.

Leur intention était louable. Il s'agissait de briser les vieux stéréotypes tels que «une fille ne peut devenir qu'une femme au foyer, une infirmière ou une secrétaire alors qu'un garçon sera médecin, avocat ou homme d'affaires». La lutte pour l'égalité des femmes a provoqué une grande transformation sociale, sans doute la plus importante du XXe siècle. Mais ses plus ardents défenseurs contestaient l'existence de différences innées entre garçons et filles.

Des arguments basés sur la biologie ont servi à justifier de terribles injustices. Par exemple, on a longtemps affirmé que, puisque les femmes avaient des cerveaux en moyenne plus petits (comme leur taille), elles étaient incapables de tâches plus complexes que le ménage et l'éducation des enfants – et quoi de plus simple que d'élever des enfants ! Pousser ce point de vue à l'extrême permettait de priver les femmes du droit de vote, de celui de posséder des biens fonciers, de toucher les mêmes salaires, etc. Celles qui se sont battues pour obtenir des droits égaux à ceux des hommes dans les années soixante-dix et quatre-vingt ont dû faire face à ces préjugés. La recherche sur les différences biologiques entre sexes devint un sujet tabou parce que personne ne voulait donner l'impression d'aller contre leur cause.

Une image plus nuancée commence à se dessiner aujourd'hui. Nous sommes prêts à accepter l'existence des différences d'origine biologique et le fait qu'il n'y a pas de raison de les refuser : elles ne signifient pas que les garçons sont supérieurs aux filles ou vice versa. Si le cerveau d'une fille se développe plus rapidement que celui d'un garçon, nous pouvons prendre des mesures pour que cet écart ne pose pas problème. Si, à l'école, un garçon préfère recevoir des instructions claires et individuelles et qu'une fille choisit le travail en équipe, nous pouvons les satisfaire tous les deux. Si un garçon aime s'exprimer avec son corps et une fille utiliser les mots, nous pouvons leur apprendre à se comprendre mutuellement et à «parler le langage de l'autre». En bref, nous avons les moyens de limiter les occasions de conflit et d'augmenter la compréhension.

Dans les deux prochains chapitres, nous allons étudier deux questions très importantes pour qui veut offrir aux garçons une croissance harmonieuse :

1. comment des hormones telles que la testostérone influencent leur comportement ;

2. en quoi le développement du cerveau diffère chez les garçons et chez les filles, et les conséquences de ces différences sur leurs façons de se comporter et de penser.

AIDE PRATIQUE

Connaître les différences

Certaines différences naturelles entre les sexes sont tellement évidentes qu'on se demande comment elles ont pu être ignorées si longtemps. Par exemple, un garçon a en moyenne 30 % de masse musculaire de plus qu'une fille. Il est plus fort et son corps le pousse davantage à l'action. Il possède aussi davantage de globules rouges. Et tout cela n'a rien à voir avec le conditionnement. Les enfants de sexe masculin ont un besoin physique de bouger et de se dépenser. En cas de conflit, ils auront tendance à utiliser leurs poings et c'est ce qu'ils doivent apprendre à contrôler. En revanche, les filles auront plutôt recours à la parole qu'elles maîtrisent mieux, mais qui peut se révéler une arme redoutable dont elles ne doivent pas abuser.

Bien sûr, ces caractéristiques ne signifient pas que «tous les garçons doivent...» ou «toutes les filles doivent...». Après tout, certaines filles sont plus fortes et plus physiques que beaucoup de garçons. Les différences entre les sexes ne sont que des généralisations, mais ces généralisations se confirment suffisamment souvent pour se révéler très utiles.

L'otite séreuse

L'otite séreuse consiste en une accumulation de liquide derrière le tympan. Elle se produit chez beaucoup d'enfants – garçons ou filles – mais comme elle n'est pas toujours douloureuse, elle passe parfois inaperçue. Elle entraîne toutefois une diminution de l'ouïe qui, elle aussi, peut passer inaperçue. À la maison comme en classe, un enfant qui n'obéit pas n'entend peut-être tout simplement pas les ordres. Si vous avez un doute, faites inspecter ses oreilles par votre médecin. L'otite séreuse est facile à soigner, et mieux vaut éviter qu'elle n'entraîne des retards dans l'apprentissage du langage. Elle se produit surtout entre 2 et 4 ans, mais peut revenir – ou survenir – plus tard.

3.
Testostérone !

Jeanne est enceinte de sept semaines, et elle nage dans le bonheur. Elle ne le sait pas encore, mais son bébé sera un garçon. Je dis «sera» parce qu'un embryon n'est jamais mâle ! Vous serez peut-être surpris d'apprendre que tous les êtres humains ont un début de vie femelle. Le chromosome Y qui en transforme certains en mâles ne se met à agir que dans l'utérus où il arrête la croissance de certains éléments et donne au fœtus les petits plus dont il a besoin pour devenir un garçon. Un mâle n'est qu'une femelle dotée d'options. C'est la raison pour laquelle les hommes ont des tétons bien qu'ils n'en aient pas besoin.

LE CYCLE DE LA TESTOSTÉRONE

Vers la huitième semaine de grossesse, les chromosomes Y entrent en action dans les cellules du minuscule bébé de Jeanne et déclenchent la production d'une hormone : la testostérone. Conséquence de cette nouvelle présence chimique, le bébé commence à ressembler davantage à un garçon. Il acquiert des testicules et un pénis, tandis que des changements plus subtils ont lieu dans son corps et son cerveau. Quand les testicules ont poussé (ils sont pleinement formés à la quinzième semaine), ils commencent à sécréter eux aussi de la testostérone, et le fœtus devient de plus en plus masculin. Ses parents peuvent maintenant décider de l'appeler Éric.

Si Jeanne était très anxieuse, son corps pourrait priver son bébé de testostérone au point d'empêcher le développement complet des testicules et du pénis. Éric resterait inachevé lors de l'accouchement. Il comblerait toutefois son retard au cours de l'année suivante.

Mais normalement, Éric aura en venant au monde autant de testostérone dans son flux sanguin qu'un garçon de 12 ans ! Ce taux élevé permet au bébé de devenir un mâle à temps pour la naissance et donne aux nouveau-nés de petites érections. Au bout de quelques mois, il a chuté d'environ 80 %. Et lors des premiers pas, il restera plutôt bas. Les garçons et les filles de cet âge ont d'ailleurs des comportements très proches.

À 4 ans, pour des raisons que personne ne comprend parfaitement, les garçons connaissent une soudaine poussée de testostérone : sa proportion double dans le sang. Les goûts du petit Éric risquent alors de changer et de le porter davantage vers l'action, les aventures et la bagarre. Son père appréciera sans doute cet âge car Éric peut désormais jouer au ballon ou bricoler avec lui. Ces relations étaient impossibles tant qu'il était encore un bébé.

À 5 ans, le taux de testostérone diminue de moitié et le jeune Éric se calme, à temps pour préparer son entrée en primaire ! Il garde assez de testostérone pour conserver le goût de l'action et de l'exploration, mais il ne s'intéresse pas particulièrement aux filles.

Entre 11 et 13 ans, le taux augmente brusquement pour devenir près de huit fois supérieur à celui de l'époque des premiers pas ! Éric a une poussée de croissance. Ses bras et ses jambes s'allongent tant que son système nerveux doit entièrement se reconfigurer. Chez près d'un garçon sur deux, la proportion de testostérone dans le sang est tellement élevée qu'une partie de l'hormone se transforme en œstrogène. La poitrine se met parfois à gonfler et à devenir sensible. Cela n'a rien d'inquiétant.

L'ESPRIT S'ÉVADE

La réorganisation du cerveau d'Éric provoquée par sa poussée de croissance le rend distrait et désorganisé pendant plusieurs mois. Son père et sa mère sont obligés de lui servir de cerveau de rechange pendant quelques temps ! S'ils ne connaissent pas les raisons de cette situation, ils risquent de s'inquiéter et de se demander quelle erreur ils ont commise. Si au contraire ils savent qu'il s'agit juste d'une conséquence de la puberté et prennent la chose avec bonne humeur tout en restant vigilants, cette étape devrait bien se passer.

À 14 ans, le taux de testostérone a atteint son sommet. L'apparition de poils pubiens, les problèmes d'acné, de violents émois sexuels et une nervosité générale risquent fort de rendre Éric, et tout son entourage, légèrement dingue.

Vers 25 ans, les choses se calment sur le plan hormonal. Le taux de testostérone reste aussi élevé mais le corps s'y est habitué et ne réagit plus aussi vivement. Éric a un peu plus de contrôle sur ses érections ! Pendant tout sa vie, l'hormone continuera de le doter d'attributs masculins tels qu'excès de cholestérol, calvitie et narines poilues. Il y a aussi des avantages : poussées d'énergie créatrice, amour de la compétition et désir de se dépasser et de se montrer protecteur. Avec de la chance, Éric pourra dépenser son énergie dans des activités privées et professionnelles – et dans une vie sexuelle heureuse – qui lui apporteront de nombreuses satisfactions.

Au début de la quarantaine, le taux de testostérone commence un déclin très progressif. Plusieurs jours s'écoulent sans qu'Éric pense au sexe ! Dans la chambre à coucher, la qualité remplace la quantité. Il a maintenant moins à prouver. Plus serein et plus sage, il assume une autorité paisible en famille et au travail, fait grand cas de l'amitié et apporte ses meilleures contributions au monde.

Chaque enfant est unique

Ce que nous avons décrit ici correspond à un parcours standard. Il existe en fait de grandes variations entre personnes du même sexe, ainsi que des chevauchements entre sexes. Le comportement de certaines filles se rapprochera ainsi du modèle «testostérone», tandis que certains garçons agiront plutôt selon le modèle «œstrogène». Néanmoins, la trame générale restera vraie pour la plupart des enfants.

Connaître le rythme des cycles hormonaux et leurs effets nous permet de comprendre ce qui se passe, et de nous montrer patients. Tout comme un bon mari accepte que sa femme soit irritable au moment de ses règles, un bon parent supporte que son fils ait du mal à contrôler sa testostérone.

POURQUOI LES GARÇONS SE BAGARRENT

La testostérone est plus qu'une simple hormone de croissance : elle influe sur l'humeur et l'énergie. Il ne fait aucun doute qu'elle incite à se montrer exubérant et turbulent. C'est la raison pour laquelle, depuis des siècles, on castre les chevaux afin de les rendre plus dociles. De même, des expériences de laboratoire ont montré que des rates soumises à des injections de testostérone tentent de s'accoupler avec d'autres femelles et se battent entre elles. La testostérone stimule la croissance de certaines parties du cerveau au détriment d'autres. Elle tend à augmenter la création de muscle et à diminuer l'accumulation de graisse. Et elle peut rendre chauve et irascible !

Une étude célèbre illustre la manière dont la testostérone agit sur la psychologie des mâles. Les chercheurs commencèrent par observer un clan de singes vivant dans un laboratoire afin de mieux connaître sa structure sociale. Ils s'aperçurent qu'une hiérarchie clairement définie régissait les rapports entre les mâles. Les femelles avaient aussi une hiérarchie mais qui, basée sur le toilettage, était plus lâche et détendue. Les mâles savaient toujours qui était le chef, et le sous-chef, et le sous-sous-chef, et ils s'affrontaient fréquemment pour confirmer le rang de chacun.

Une fois que les chercheurs démêlèrent la dynamique en œuvre parmi les singes, ils se mirent à fomenter des troubles. Ils capturèrent le mâle qui occupait le rang le plus bas de la hiérarchie, et lui injectèrent de la testostérone. Puis ils le remirent dans le groupe. Vous pouvez imaginer ce qui arriva. Le singe défia en combat de boxe son «supérieur immédiat». À sa grande surprise, il remporta la victoire ! Il s'attaqua donc au singe suivant. En vingt minutes, il avait gravi tous les barreaux de l'échelle et pris la place du plus gros singe sur la plus haute branche. Notre héros était petit, mais il avait de la testostérone ! Malheureusement pour lui, sa promotion ne dura pas. L'effet de l'injection s'épuisa et notre petit héros redescendit jusqu'au bas de l'échelle.

Cette expérience montre que la testostérone agit sur le cerveau et rend les mâles plus sensibles aux questions de rang et de compétition.

LES GARÇONS ONT BESOIN D'ORDRE

J'ai lu récemment l'histoire d'un vieux chef scout venu remettre de l'ordre dans une section où régnait la pire indiscipline. La troupe était un véritable cauchemar : les garçons ne cessaient de se battre et de dégrader les locaux ; ils n'apprenaient rien pendant les sorties ; et ils faisaient fuir leurs camarades les plus sages. Un changement de cap s'imposa. Le premier soir qu'il passa avec le groupe, le chef scout fixa des règles, menaça deux garçons d'exclusion, établit une organisation claire du camp et commença à montrer à tous, dans un ordre clair et logique, comment assumer leurs tâches. Il réussit à renverser la situation. En deux mois, la troupe devint exemplaire.

Le chef scout expliquait à l'auteur que, d'après son expérience, il y a trois choses que les garçons doivent savoir :

1. Qui commande ?
2. Quelles sont les règles ?
3. Ces règles seront-elles appliquées avec justice ?

Pas de salut hors d'un cadre

Dans une situation qui ne leur offre pas de cadre clair, les garçons se sentent en déséquilibre et en danger. Si personne ne commande, ils commencent à s'affronter pour mettre en place un ordre de dominance. Leur nature et l'influence de la testostérone les poussent à vouloir établir des hiérarchies même s'ils peuvent difficilement y parvenir quand ils sont tous du même âge. Lorsque les adultes leur fournissent un cadre et une structure, ils peuvent alors se détendre. Ce problème ne se pose pas autant avec les filles.

Il y a plusieurs années, je suis parti étudier les familles des quartiers pauvres de Calcutta. La ville me parut tout d'abord chaotique et effrayante. En fait, des gangs se partageaient le territoire, et des hiérarchies existaient même au niveau du voisinage. Pour le meilleur ou pour le pire, elles structuraient le cadre de vie des habitants au sein de leur quartier. Ils étaient plus en sécurité avec une structure, même maffieuse, que sans. Quand une meilleure organisation sociale prenait forme grâce à des chefs religieux ou civils dignes de confiance et compétents, alors la vie s'améliorait encore. Chaque fois que vous voyez une bande de garçons à l'allure agressive, c'est que l'autorité des adultes est défaillante. Les garçons qui forment des gangs le font pour survivre. Ils tentent ainsi d'avoir un sentiment d'appartenance, d'ordre et de sécurité.

Les garçons jouent aux durs pour cacher leurs peurs. Si un chef s'impose clairement, ils se détendent. Mais ce chef ne doit être ni capricieux ni répressif. Quand le responsable agit en tyran, le niveau de stress augmente, et la loi de la jungle s'impose à nouveau. À l'inverse, quand le professeur, le chef scout ou le parent fait preuve de bienveillance et de justice, tout en étant strict, les garçons abandonnent leur posture «macho» et lui accordent leur attention.

Ici existe une différence innée entre les sexes. Des filles qui éprouvent de l'anxiété dans un groupe ont tendance à se renfermer sur elles-mêmes et à se taire, tandis que les garçons réagissent en courant partout et en faisant beaucoup de bruit. On y a vu à tort une «domination de l'espace», en maternelle notamment, alors qu'il s'agit seulement de gérer un stress. Quand les garçons sont engagés dans des activités concrètes, cette différence de conduite selon le sexe disparaît.

Que notre comportement dépende en partie des hormones ne plaît pas à tout le monde. Certains biologistes féministes ont affirmé que les hommes sécrétaient de la testostérone par conditionnement, que sa production découlait de la forme d'éducation qu'ils avaient reçue. Cette thèse contient en fait une part de vérité. Une étude réalisée dans un quartier difficile a montré que les garçons qui se trouvaient dans un environnement scolaire agressif produisaient davantage de testostérone. Depuis, un plan de prévention a permis de réduire la violence dans l'établissement qu'ils fréquentaient, et la réalisation d'un code de règles claires a rendu les sanctions des professeurs moins arbitraires. Dans cet environnement plus favorable, le taux de testostérone des élèves a baissé dans des proportions quantifiables. L'environnement et la biologie jouent donc tous deux un rôle.

Mais l'environnement ne fait qu'influer sur la production hormonale tandis que la nature et le calendrier biologique la provoquent. Réussir l'éducation de garçons revient à accepter leur nature et à la diriger dans de bonnes voies. Essayer de les transformer en filles est voué à l'échec.

COMMENT SONT APPARUES LES DIFFÉRENCES ENTRE LES HOMMES ET LES FEMMES ?

L'évolution change en permanence la forme de toutes les créatures vivantes. Par exemple, les premiers humains avaient d'énormes dents et de grosses mâchoires dans le but de venir à bout d'aliments crus. Quand l'homme maîtrisa le feu et la cuisson, mâchoires et dents commencèrent à rapetisser en même temps que la nourriture devenait plus facile à broyer. Au cours d'innombrables générations, notre mode de vie a modifié notre aspect physique. Encore quelques milliers d'années à manger des hamburgers et nous finirons peut-être totalement dépourvus de menton !

Certaines différences entre les êtres humains de sexes opposés sautent aux yeux : la taille, la pilosité, la silhouette. Pourtant, les plus importantes ne se voient pas. Elles ont pour cause les rôles distincts qu'ont remplis hommes et femmes pendant très longtemps. Les sociétés primitives répartissaient les tâches en fonction du sexe. Elles vivaient de la chasse et de la cueillette, et pendant 99 % de l'histoire de l'humanité, les femmes ont principalement cueilli et les hommes principalement chassé.

La chasse était une activité spécialisée. Elle exigeait de savoir manœuvrer rapidement en groupe, de fournir de brusques et intenses dépenses musculaires, et de faire preuve de beaucoup de ténacité. Une fois la chasse commencée, il n'y avait plus de temps pour la discussion. Quelqu'un commandait et les autres obéissaient, un point c'est tout.

Les femmes qui collectaient graines, racines et insectes, tout en s'occupant des enfants, avaient un travail différent. La cueillette leur donnait le temps de discuter et exigeait des doigts adroits et sensibles. En conséquence, toutes les femmes ont une sensibilité digitale supérieure à celle des hommes. De même, les tâches des femmes demandaient de la prudence, de la constance et de l'attention aux détails, alors que la chasse exigeait un certain degré de témérité et même d'abnégation. Dans l'ensemble, les corps des femmes devinrent plus petits mais plus endurants. Plus puissants, les corps des hommes étaient également moins résistants face à une bonne grippe ou à un ongle incarné ! Les écarts restaient pourtant faibles, et une certaine flexibilité dans les rôles aidait probablement à la survie. Le résultat, c'est que, dans notre espèce, les corps et les cerveaux des mâles et des femelles présentent des différences légères mais significatives.

Les traditions des chasseurs-cueilleurs ont laissé un héritage qui pose problème. Dans le tiers-monde où les habitants vivent maintenant de l'agriculture, les hommes travaillent souvent moins dur que les femmes. On peut supposer qu'ils attendent d'avoir un animal à chasser ou un ennemi à combattre !

PULSIONS SEXUELLES ET AGRESSIVITÉ SONT LIÉES

Les études sur les primates semblent indiquer que les mâles dominants ont de plus grandes pulsions sexuelles. Dans les sports d'équipe, après un match, les gagnants ont un taux de testostérone plus élevé que les perdants.

Une enquête sur la délinquance juvénile effectuée dans les années quatre-vingt a révélé une intrigante connexion : les garçons étudiés avaient en moyenne beaucoup plus de problèmes avec la police pendant les six mois qui précédaient leur première expérience sexuelle qu'après. En d'autres termes, ils se calmaient un peu après avoir commencé à faire l'amour. Puisque tous les adolescents se masturbent à cet âge, ce progrès ne venait pas simplement de ce qu'ils réalisaient une frustration. Avoir une relation sexuelle avec une vraie personne, faite de chair et d'os, les aidait peut-être à se sentir «membres de la race humaine». (Nous ne recommandons pas cela comme un remède à la délinquance, mais l'idée tient debout.)

Les mêmes centres du cerveau et le même groupe d'hormones contrôlent à la fois le sexe et l'agression. Ce lien a causé d'innombrables tragédies et beaucoup de souffrance. Les risques de violences sexuelles qu'il favorise rendent d'autant plus cruciale une bonne éducation sentimentale. Nous devons aider nos garçons à percevoir les femmes comme des êtres humains et non de simples objets de désir, à avoir de l'empathie, c'est-à-dire la capacité de ressentir les émotions de l'autre, et à devenir de bons amants.

Accuser les hormones n'est jamais une excuse à une agression, mais nous devons prendre garde à bien séparer violence et stimuli sexuels. Il faut en particulier éviter les films qui lient les deux, comme ces nombreuses productions de série B dont l'intrigue repose sur une connexion viol-vengeance.

Même des adultes peuvent mal interpréter ce que présentent les médias. Récemment, une agence matrimoniale dut intervenir auprès d'un client d'une soixantaine d'années. Cet homme faisait des invites bien trop crues aux dames qu'elle lui présentait, et ce dès le premier rendez-vous. Veuf depuis deux ans, ce monsieur naturellement doux et prévenant avait parcouru la presse féminine pour s'informer de ce qu'aimaient les femmes d'aujourd'hui. Et il agissait en conséquence !

Les films X ne valent pas mieux. Le porno typique est parfaitement idiot : des gens plutôt moches qui prennent à peine le temps de respirer entre deux coïts laborieux. Rares sont les films qui offrent aux adolescents un aperçu plus large de la sexualité en montrant des rapports tendres, sensuels, gais et intenses, et en laissant la place aux dialogues, au partage et à la vulnérabilité.

Prévenir la violence sexuelle commence plus tôt encore. Il suffit sans doute de mieux traiter les enfants. Un expert britannique, Raymond Wyre, se penche depuis des années sur les agressions pédophiles. La majorité des coupables ont eux-mêmes été victimes d'abus du même ordre pendant leur enfance. Tous ceux que Raymond Wyre a étudiés, sans exception, ont eu une enfance malheureuse et terriblement privée d'affection. D'après lui, le fait de grandir sans tendresse ni compréhension les a empêchés de développer leur capacité à percevoir les émotions des autres. Ce manque d'empathie serait donc un facteur clé dans la personnalité des gens qui commettent des agressions sexuelles.

COMMENT GUIDER LES «FORTES TÊTES» ?

La testostérone fournit énergie et détermination. Les garçons qui la produisent à haute dose ont souvent des qualités de chef. Au début de chaque année scolaire, les professeurs repèrent tout de suite les élèves de ce type. Ils savent qu'ils feront partie des locomotives de la classe ou qu'ils seront particulièrement pénibles. L'entre-deux n'existe pas pour eux. Les «fortes têtes» se distinguent par le goût du défi et de la compétition, une plus grande maturité physique et beaucoup d'énergie.

Quand le professeur réussit à établir un rapport de confiance avec un tel garçon et à canaliser son énergie, l'élève s'épanouit et devient un plus pour la classe. À l'inverse, si l'enfant perçoit de l'indifférence ou du rejet, sa fierté le pousse à se venger des adultes, et les problèmes ne peuvent que s'aggraver.

Les garçons qui ont un potentiel de chef doivent commencer à apprendre à s'en servir dès le plus jeune âge.

EN BREF

1. La testostérone affecte chaque garçon à des degrés divers. Elle provoque ses poussées de croissance et lui donne le goût de l'action et de la compétition. Elle crée aussi le besoin d'un environnement sûr et organisé où les règles sont claires.

2. Elle déclenche chez l'enfant des changements importants : à 4 ans, elle l'oriente vers les activités de garçons ; à 13 ans, elle cause une période de forte croissance et de désorientation ; enfin, à 14 ans, elle le pousse à tester ses limites et à faire les premiers pas vers la maturité.

3. Les garçons aiment savoir qui tient les commandes mais ont besoin de sentir qu'ils sont traités avec justice. Un environnement défavorable fait ressortir ce qu'ils ont de pire. Il faut accorder une attention particulière à ceux qui produisent beaucoup de testostérone pour qu'ils développent leurs qualités de chef et apprennent à canaliser leur énergie.

4. Un garçon doit recevoir de la tendresse et acquérir la capacité de s'identifier à autrui par le biais des sentiments. Cela lui permettra d'avoir plus tard une sexualité respectueuse des autres.

5. Certaines filles ont beaucoup de testostérone, mais c'est dans l'ensemble une spécialité masculine. Cette hormone donne une vitalité que nous n'avons pas à réprimer mais à orienter dans de saines directions.

QUELQUES PRODIGES DE LA TESTOSTÉRONE

1. Dans le royaume animal, il existe une hyène, la hyène tachetée, qui naît avec tant de testostérone dans le sang que les jeunes femelles ont un pseudo-pénis et des lèvres vulvaires qui ressemblent à des testicules. Les petits viennent au monde avec un jeu complet de dents et sont si agressifs qu'ils se dévorent souvent entre eux peu après la naissance.

2. Dans la République dominicaine, une affection rare et localisée touche certains bébés de sexe masculin. L'absence d'un enzyme inhibe l'effet de la testostérone dans la matrice, et ces garçons naissent sans pénis ni testicules. Ils ressemblent à des filles et sont élevés comme tels. Mais vers 12 ans, leur corps se met à produire l'hormone. Ces «fausses» filles deviennent alors de «vrais» garçons, complètement formés, qui muent pour prendre une voix grave, etc. Il semblerait qu'ils mènent ensuite des vies d'hommes tout à fait normales. Dans la langue locale, on les appelle les «enfants au pénis de 12 ans».

3. On a établi un lien significatif entre une forte sensibilité à la testostérone, ou une importante sécrétion de cette hormone, et le fait d'avoir l'esprit mathématique, d'être gaucher ou de souffrir d'une tendance à l'asthme et aux allergies.

4. L'œstrogène, la contrepartie féminine de la testostérone, favorise l'établissement de connexions plus nombreuses entre les cellules nerveuses. Les femelles ont de plus petits cerveaux mais ils sont mieux câblés !

5. Les barytons des chorales galloises ont plus de testostérone que les ténors. Ils ont aussi une activité sexuelle supérieure !

6. Faire l'amour augmente le taux de testostérone. Et comme dit le proverbe, l'appétit vient en mangeant ! Remporter une victoire sportive ou politique fait aussi grimper ce taux, alors que le stress et la solitude le font baisser et activent la production d'œstrogène.

7. Une dernière anecdote sur la testostérone, peut-être la plus étonnante de toutes, illustre la danse subtile entre biologie et comportement dans le développement des animaux supérieurs. Les mères rates lèchent fréquemment les parties géni-

tales de leurs bébés mâles et pas du tout celles de leurs bébés femelles.

C'est la présence de testostérone dans l'urine des petits rats qui semble provoquer cette conduite. Lorsque de jeunes rates reçoivent des injections de testostérone, la mère se met alors à lécher leurs parties génitales ! De même, quand on castre de petits mâles, la mère ne les lèche plus.

Dans le cerveau des rats ainsi léchés, quel que soit leur sexe, se forme une glande pituitaire de type mâle. Les femelles qui ont reçu ce traitement se comporteront comme des mâles tout le reste de leur vie. Quand des caresses quotidiennes avec un pinceau remplacent le léchage, les mêmes transformations anatomiques ont lieu.

Parmi les centaines d'études que j'ai lues, c'est probablement celle qui montre le mieux la complexité de l'interaction entre inné et acquis dans la formation des caractères sexués. Et c'est sans doute la seule conclusion que nous pouvons en tirer !

Les différences entre les sexes ne se manifestent pas automatiquement, et leur apparition met en jeu à la fois des processus physiques et des influences sociales. Nous savons que les enfants privés d'affection et de stimulation ne deviennent pas aussi grands et forts, ou aussi intelligents, que leur potentiel de départ le leur permettrait. Pour se développer harmonieusement et trouver une identité sexuelle confortable, nos enfants ont besoin de nos talents d'éducateurs et de parents.

4.
Les différences entre les cerveaux des garçons et des filles

Un miracle de la nature

Le cerveau d'un bébé se développe très vite dans la matrice : deux mois après la fécondation, c'est l'une des structures les plus complexes de la nature. Au bout de six mois de grossesse, il donne au fœtus des facultés déjà évoluées, car celui-ci reconnaît votre voix, réagit aux mouvements et répond par des coups de pied quand on le pousse du doigt ! L'échographie permet de le voir bouger les lèvres comme s'il chantait.

À la naissance, le cerveau reste toutefois inachevé et ne possède qu'un tiers de sa taille définitive. Sa croissance met longtemps à aboutir. Par exemple, la partie qui s'occupe du langage n'est pleinement formée que vers l'âge de 13 ans. C'est pourquoi pousser les enfants à lire pendant toutes les années de primaire revêt tant d'importance.

Des différences liées au sexe apparaissent tôt dans l'utérus. Le cerveau d'un garçon se développe plus lentement. En outre, il s'y forme moins de connexions entre les hémisphères gauche et droit.

Tous les vertébrés possèdent des cerveaux à deux hémisphères. Chez les espèces les plus simples, comme les lézards ou les oiseaux, cela signifie que tout est en double. Un coup sur la tête peut endommager un hémisphère sans entraîner obligatoirement la mort de l'animal. L'autre hémisphère se débrouillera tout seul ! Les humains sont devenus trop compliqués pour ça, et un certain degré de spécialisation règne dans leur cerveau. Par exemple, un hémisphère se charge du langage et du raisonnement quand l'autre régit le mouvement, l'émotion et la localisation spatiale. Les deux hémisphères communiquent par l'intermédiaire d'un gros paquet de fibres appelé le corps calleux. Ce corps calleux est proportionnellement plus petit chez les garçons : il regroupe moins de connexions d'un hémisphère à l'autre.

Selon des études récentes, les garçons ont tendance à aborder un certain nombre de problèmes (tels qu'un exercice d'orthographe ou une devinette) en n'utilisant qu'une seule moitié de leur cerveau tandis que les filles se servent des deux. L'imagerie par résonance magnétique (IRM) le montre de façon frappante. Dans un cerveau de fille, les «lumières s'allument partout» alors que, chez un garçon, elles restent plutôt localisées d'un seul côté. Ceci a d'importantes conséquences que nous examinerons plus loin.

POURQUOI CETTE DIFFÉRENCE ?

Le cerveau d'un bébé, avant et après la naissance, grandit un peu comme germe une botte de foin oubliée sous la pluie : des tiges poussent dans tous les sens. Ce que font en plus les cellules cérébrales, c'est qu'en s'allongeant, elles ne cessent de se relier les unes aux autres. La moitié gauche du cortex se développe moins vite que la droite chez les bébés, mais chez les garçons, elle se montre encore plus lente. La testostérone contenue dans leur système sanguin ralentit le processus. À l'inverse, l'œstrogène, c'est-à-dire l'hormone dominante chez les filles, provoque une croissance plus rapide des cellules cérébrales.

Tout en grandissant, l'hémisphère droit tente d'établir des connexions avec le gauche. Chez les garçons, ce dernier n'est pas encore prêt à accepter ces liaisons, si bien que les «tiges» venues du côté droit ne trouvent pas de points de raccordement. Elles retournent alors vers l'hémisphère dont elles viennent et c'est là qu'elles se branchent. Le résultat, c'est que le cerveau droit des garçons est plus riche en connexions internes mais plus pauvre en interconnexions avec le cerveau gauche. C'est l'une des explications possibles au fait que les garçons réussissent mieux en mathématiques, une activité qui dépend en grande partie du cerveau droit, ou qu'ils prennent tant de plaisir à démonter toutes sortes d'appareils dont ils laissent les pièces traîner partout.

Il faut toutefois rester prudent et ne pas pousser trop loin ces conclusions. Les attentes des parents, l'éducation et la pression sociale déterminent aussi les talents et les aptitudes de chaque enfant. On sait que l'apprentissage s'accompagne du développement de nouvelles connexions cérébrales. Les stimulations auxquelles est soumis un enfant et l'enseignement qu'on lui donne modifient la forme et la puissance qu'aura son cerveau d'adulte.

Qu'elles aient pour cause l'action des hormones ou l'influence de l'environnement, ces différences entre cerveaux masculins et féminins existent sans aucun doute aujourd'hui. En cas de lésion cérébrale, les femmes se remettent plus vite et plus complètement que les hommes. Disposer de liaisons supplémentaires favorise la prise en charge par l'autre hémisphère des tâches que remplissait la partie endommagée. Pour la même raison, les filles qui ont des difficultés d'apprentissage font plus vite des progrès quand on leur propose des activités de soutien. Et les garçons gardent plus de séquelles en cas de souffrance cérébrale à la naissance. On peut d'ailleurs se demander si cela n'explique pas qu'ils soient plus nombreux à souffrir de maladies mentales comme l'autisme.

Les cerveaux des hommes et des femmes comportent d'autres différences mais qui sont encore mal comprises. Des autopsies comparatives et les techniques d'imagerie assistée par ordinateur ont permis de localiser sept aires où existent des différences.

AIDE PRATIQUE

Apprendre à communiquer

La communication joue un rôle primordial dans la vie. Il y a malheureusement dans chaque classe quelques élèves qui ne savent pas bien lire, écrire ou parler. Et parmi ces enfants, les garçons sont quatre fois plus nombreux que les filles. On pense désormais que cette disproportion est due en partie au fait que le cerveau masculin est moins bien organisé pour le langage que le cerveau féminin.

Mais rien n'oblige à rester les bras croisés. Selon des neurologues à la pointe des recherches sur les troubles des fonctions de communication, les parents peuvent faire beaucoup pour éviter à leur fils d'avoir des problèmes d'apprentissage ou d'expression. En effet, ces scientifiques ont découvert que deux régions du cerveau dédiées au langage sont proportionnellement de 20 à 30 % plus volumineuses chez les femmes. Mais personne ne sait si ces régions sont plus grosses dès la naissance, ou si elles le deviennent parce que les filles les utilisent plus.

Nous avons vu précédemment que l'apprentissage a une grande influence sur le développement du cerveau. Mais il a encore plus d'influence quand il est fait au bon âge. Pour le langage, cet âge s'étend de 0 à 8 ans. Bien sûr, l'homme continue d'apprendre pendant l'adolescence et l'âge adulte, mais plus il grandit et plus il lui est difficile de modifier ce premier «câblage» du cerveau. Les parents peuvent donc aider leur fils à mieux communiquer en commençant dès sa naissance. Ils lui permettront de mieux lire, de mieux écrire et de mieux parler quand il ira à l'école. Voici comment :

1. Progresser par étapes. Les enfants acquièrent le langage parlé par étapes. Pour nous prévenir qu'ils sont prêts à passer à la communication verbale, les nourrissons se mettent à babiller et à s'agiter avec beaucoup d'enthousiasme. Le moment est alors venu de commencer à leur apprendre des mots.

Avec un bébé qui gazouille, répétez le mot qu'il semble vouloir prononcer. Bébé dit «Baba, nani !» en tendant le doigt vers son jouet en forme de canard. Vous dites : «Canard ! Le canard de David !» Bientôt, David dira «canard» lui aussi.

Avec un enfant qui ne prononce que des mots isolés, comme «lait», vous en accolez un deuxième, par exemple «bouteille de lait». Cela l'aidera à passer à l'étape de l'assemblage de mots.

Quand il a commencé à lier les mots par groupes de deux ou trois, poussez-le à imiter des phrases entières. À «David camion», vous répondrez «David veut son camion ? Voici le camion de David !» Etc.

En bref, pour aider vos enfants à faire des progrès, répondez toujours une marche au-dessus de celle qu'ils ont atteinte. Ils adorent ce jeu. Tous les êtres humains aiment communiquer.

2. Donner des explications régulièrement. Voici la grande utilité des nombreux moments que vous passez avec vos enfants à accomplir des activités de routine : trajets en voiture, tâches ménagères, courses, etc. Ils vous donnent le temps de bavarder, d'expliquer, de répondre aux questions. Il est toujours curieux de voir des parents débordant d'amour pour leurs enfants se comporter comme s'ils ne se rendaient pas compte que leurs cerveaux se développent grâce aux conversations. Ne soyez pas timide : expliquez les choses, racontez des histoires, parlez de tout et de rien ! «Tu vois cette manette ? Elle déclenche les essuie-glaces. Ils enlèvent l'eau du pare-brise.» Ou encore «Cet aspirateur fait du vent à l'envers. Il aspire l'air et met la poussière dans un sac. Tu veux essayer ?» Etc.

Ce genre de conversation, à condition de ne pas exagérer au point d'assommer l'enfant, fait plus pour son intelligence que les études supérieures qu'il suivra peut-être plus tard.

3. Lire des histoires dès le plus jeune âge. Même si votre bébé n'a qu'un an, vous pouvez apprécier des livres ensemble, en particulier ceux qui jouent avec les rimes et les répétitions. Le plaisir qu'il prend à écouter votre voix et à découvrir avec vous les images lui donnera l'amour des livres. N'hésitez pas à en rajouter un peu en mettant de l'intonation ou en prenant de drôles d'accents.

Quand votre enfant réclame une histoire qu'il connaît déjà mais apprécie particulièrement, vous pouvez jouer au jeu de la «prévision» en laissant en suspens une phrase comme «et le petit chat dit... ?» pour qu'il ait le plaisir de pousser le «miaou». Prévoir facilite beaucoup la lecture. Les bons lecteurs anticipent le mot suivant.

Rappelez-vous qu'à chaque fois que vous jouez à un jeu éducatif, l'astuce consiste à s'amuser tout en amenant les enfants à se dépasser un peu. Tous adorent ça.

Cet entraînement profite bien entendu aux filles. Toutefois, les garçons en ont davantage besoin car ils sont moins bien armés pour maîtriser le langage. En outre, les adultes y prennent plaisir !

Si vous avez l'impression que votre fils ne parle pas aussi bien qu'il le devrait, consultez un orthophoniste. Les enfants s'amusent pendant les séances de travail qui sont conçues dans ce but. Elles peuvent beaucoup simplifier leur départ dans la vie.

POURQUOI TANT S'INQUIÉTER DU CERVEAU ?

Connaître les particularités propres aux cerveaux des garçons permet de mieux comprendre certaines difficultés qu'ils rencontrent et de les aider à y faire face.

Si vos deux hémisphères cérébraux sont un peu moins bien connectés, vous allez avoir un peu plus de mal à faire des choses qui demandent que les deux travaillent en même temps. Or, vous avez besoin des deux moitiés de votre cerveau pour lire, parler de vos sentiments et résoudre un problème par l'introspection ! Cela vous paraît-il familier ? Maintenant, vous saisissez sûrement mieux l'intérêt de toutes ces recherches sur le cerveau.

DANGER : SEXISME EN VUE !

Nous devons apporter ici des précisions d'une importance cruciale. Dire «Les garçons sont différents» peut très facilement amener à penser «Ils sont inférieurs» ou encore «Ils n'y peuvent rien». Les filles étaient jadis victimes du même genre de généralisation : «Elles ne vaudront jamais rien dans les domaines scientifiques et techniques» ou «Elles sont trop émotives pour remplir des postes à responsabilités.» Aussi, s'il vous plaît, tenez très sérieusement compte des points suivants :

- les différences sont minimes chez la plupart des gens ;

- il ne s'agit que de tendances ;

- elles ne s'appliquent pas à tous les individus ;

- nous n'avons pas à les accepter comme des limitations (c'est le plus important).

AIDER LE CERVEAU À SE DÉVELOPPER

Nous pouvons contribuer à ce que les garçons lisent mieux, s'expriment mieux, résolvent plus facilement les conflits et éprouvent plus d'empathie... et les aider ainsi à devenir des adultes épanouis. Nos cerveaux sont des outils merveilleux et flexibles, toujours capables d'apprendre. Des parents peuvent montrer à leur fils comment éviter de se battre en utilisant de meilleurs moyens de se faire accepter d'un groupe ou de résoudre une dispute. Ils peuvent l'aider à acquérir de précieux talents tels que :

- deviner les sentiments des gens d'après les expressions de leur visage ;

- savoir se faire des amis et s'intégrer à un jeu ou une conversation ;

- déchiffrer les signaux émis par son corps – par exemple, reconnaître à temps que l'on est en train de se mettre en colère, pour pouvoir changer de sujet ou s'éloigner.

En poussant leur enfant à s'améliorer dans ces domaines, les parents augmentent le nombre de connexions entre ses deux hémisphères cérébraux.

L'école doit apporter le même soutien. Je connais un professeur de mathématiques qui donne rarement un cours sans l'illustrer par un exemple pratique, allant jusqu'à sortir de la classe pour le rendre encore plus concret. Il s'est aperçu que ses «mauvais» élèves saisissent mieux un concept quand ils le voient appliqué, surtout s'ils peuvent utiliser leur corps pour rendre plus claire encore l'explication. Ils tentent de comprendre des concepts qui relèvent du cerveau droit en utilisant aussi le mode de compréhension du cerveau gauche. Ils se servent de leurs forces pour surmonter leurs faiblesses.

LES GARÇONS DEVRAIENT COMMENCER L'ÉCOLE PLUS TARD

Au moment de l'entrée en primaire, vers 6 ans, les garçons ont un retard de maturité de six à douze mois par rapport aux filles. Ce retard affecte en particulier ce qu'on appelle la coordination motrice fine : l'aptitude à se servir de ses doigts avec précision, en manipulant un crayon ou des ciseaux par exemple. Les garçons sont encore dans une phase de développement moteur global et remuer leurs gros muscles les démange. Rester assis en se tenant tranquilles va à l'encontre de leur nature.

Lors de mes déplacements, j'ai eu l'occasion de discuter avec des enseignants et des responsables pédagogiques de tous les continents. Certains travaillaient au fin fond de la brousse, d'autres dans de prestigieuses écoles internationales, mais tous dispensaient le même message : les garçons devraient attendre un an.

Tous les enfants profitent de la maternelle. Elle leur ouvre un vaste champ d'expériences et leur permet de s'initier à la vie en collectivité. Mais les garçons devraient y rester plus longtemps, jusqu'à un an de plus dans certains cas. La plupart effectueraient ainsi leur scolarité en ayant un an de plus que les filles de leur classe, et se retrouveraient à égalité avec elles sur le plan intellectuel. Dans l'ensemble, les garçons finissent par rattraper les filles dans ce domaine, mais de la façon dont les écoles fonctionnent aujourd'hui, le mal est déjà fait. Ils se sentent inférieurs, butent sur des apprentissages de base qu'ils ne sont pas en état d'acquérir et perdent le goût d'apprendre.

Leurs nerfs moteurs continuent de grandir pendant les premières années de primaire et les messages qu'ils reçoivent de leur corps sont : «Bouge !» «Sers-toi de moi !» Et le résultat, pour un instituteur de nature angoissée, ressemblera souvent à du chahut. Que va penser un garçon qui voit que ses découpages, ses dessins et ses exercices d'écriture ne valent pas ceux des filles ? «Ce n'est pas fait pour moi.» Si, en plus, les institutrices dominent dans son école, il se dira : «C'est pour les filles.»

TRAVAILLER SES POINTS FAIBLES

Avoir un hémisphère cérébral droit bien développé, ce qui est une caractéristique plutôt masculine, ne manque pas d'avantages, notamment pour les mathématiques et les domaines techniques. De même, les mâles se montrent plus prompts à passer à l'action face à un problème. Là où une femme pèsera le pour et le contre avec son cerveau gauche, au risque de rester indécise, un homme prendra plus facilement des mesures car le cerveau droit gère à la fois les sensations et les actions.

Mais le monde d'aujourd'hui n'a plus besoin d'hommes capables de chasser le buffle. Et le travail manuel comme les métiers techniques et industriels offrent de moins en moins de débouchés. Les garçons doivent donc élargir leur palette de talents. Ils ont pour points forts l'abstraction et l'action ; il leur faut travailler la maîtrise de tout ce qui touche au langage et à la communication.

EN BREF

Les hormones et les gènes masculins donnent aux garçons des particularités qu'il faut aborder avec un esprit pratique. Le tableau suivant résume ce que vous pouvez faire pour aider votre fils à s'épanouir.

PARCE QUE SOUVENT LES GARÇONS :	NOUS DEVONS :
• craignent la séparation,	▸ • leur manifester autant d'affection qu'aux filles et éviter de les placer dans des structures collectives avant 3 ans.
• ont des poussées de testostérone qui les rendent ergoteurs et agités, en particulier vers 14 ans,	▸ • gérer calmement les conflits : les régler en raisonnant et non en criant. Leur imposer de bonnes manières, mais ne jamais avoir recours – ou menacer d'avoir recours – à la violence. Les pères doivent servir de modèle et exiger que les mères soient respectées.
• ont des poussées de croissance qui les rendent distraits et désorganisés, surtout vers 13 ans – ceci s'applique aux filles également,	▸ • leur apprendre à s'organiser, à ranger leur chambre, à participer aux tâches ménagères, à fractionner le travail scolaire, à se donner des habitudes.
• ont besoin de dépenser physiquement leur énergie,	▸ • leur laisser de l'espace et du temps pour se dépenser.

PARCE QUE SOUVENT LES GARÇONS :	NOUS DEVONS :
• ont un développement du cerveau plus lent, ce qui affecte leur motricité fine au début du primaire,	▶ • retarder l'entrée en primaire jusqu'à ce qu'ils maîtrisent bien crayons, papier, ciseaux, etc.
• ont moins de connexions entre l'hémisphère cérébral du langage et celui des perceptions sensorielles,	▶ • leur raconter des histoires, discuter, expliquer les choses, en particulier jusqu'à 8 ans.
• ont besoin de règles claires et de savoir qui commande,	▶ • leur offrir un cadre calme et structuré, à la maison comme à l'école.
• ont un corps musclé,	▶ • leur montrer comment chercher à obtenir ce qu'ils veulent en discutant plutôt qu'en se servant de la force.
• ont une prédisposition à agir avant de peser le pour et le contre,	▶ • profiter des conversations de tous les jours pour présenter chaque fois que possible plusieurs moyens de résoudre un problème ou de réagir à une situation.

5.
Le rôle du père

Ma fille est née par césarienne et, dans la salle d'accouchement, j'étais partagé entre la joie et la peur. Puis je l'ai attrapée et je m'y suis cramponné. C'est à peine si j'ai laissé les infirmières faire les examens obligatoires. Je voulais moi-même m'occuper de mon enfant.

Ma femme a mis quelques jours à se remettre de l'opération et, pendant son séjour à l'hôpital, j'ai passé mes nuits sur une civière posée par terre dans sa chambre, le bébé installé près de moi. J'ai arraché plus d'un cri de surprise aux infirmières qu'on avait oublié de prévenir. Et plusieurs d'entre d'elles ont pris discrètement ma femme à part pour lui demander si c'était vraiment ce qu'elle voulait.

ÊTRE PAPA, UN COMBAT

Aujourd'hui encore, un homme doit souvent se battre pour avoir le droit d'être un père. La société ne le considère pas comme un vrai parent. Sa place est au bureau à travailler dur pour payer les factures. D'autres apprendront à leurs enfants à taper dans un ballon, à jouer du piano et à croire en eux-mêmes.

Beaucoup de pères luttent aujourd'hui pour reprendre leur place dans la famille, mais ce n'est pas toujours facile : le XXe siècle n'a pas une grande tradition d'éducation paternelle. Les hommes de la génération de nos parents prouvaient leur amour en gagnant de l'argent, pas en jouant, en câlinant, en bavardant ou en répondant aux questions – les choses qui font vraiment plaisir aux enfants. Beaucoup gardaient des séquelles de la guerre. Et en cas de rupture conjugale, certains disparaissaient purement et simplement de la vie de leurs enfants.

Il n'y a rien d'anormal à se sentir perdu face à son propre enfant quand on n'a pas eu l'occasion de voir à quoi ressemble un père qui remplit bien son rôle, et quand on ne dispose que de fragments comme un puzzle incomplet.

Toutefois, la situation s'améliore. Une étude statistique effectuée en Angleterre montre que les pères consacrent aujourd'hui quatre fois plus de temps à leurs enfants que dans les années soixante. Tant qu'un homme aura envie d'essayer de se comporter en père, il y arrivera. Il doit simplement résister à la tentation de se décharger sur sa compagne.

Les hommes apportent quelque chose de différent à leurs enfants, quelque chose d'unique et d'irremplaçable. Plus vous avancerez et plus vous découvrirez vos talents pour l'éducation. Plus vous développerez, aussi, votre propre style. Les enfants sont formidables et il n'existe rien d'aussi satisfaisant que de contribuer à ce qu'ils le soient toujours davantage.

RESSUSCITER UN ART PERDU

Être un bon père est simple. Voici quelques pistes :

1. Les enfants aiment les contacts physiques. Ils aiment que leurs parents les serrent contre eux, les chatouillent, chahu-

tent. S'ils n'aiment pas, c'est que vous vous montrez probablement trop rude.

2. Ils aiment partir avec vous à l'aventure dans le vaste monde. Ils vous voient si grand et si fort qu'ils se sentent en sécurité... même si vous ne partagez pas toujours cette confiance.

3. Ils aiment vous entendre parler de votre vie, rencontrer vos amis et voir ce que vous faites au travail.

4. Ils aiment que vous leur appreniez des choses – n'importe quoi en fait. Si vous ne connaissez rien à la pêche, à la construction des cabanes, à la mécanique ou à la réparation des ordinateurs, eh bien, vous pourrez vous y mettre ensemble. C'est l'intention qui compte.

LES ENFANTS NOUS IMITENT

Les enfants n'apprennent pas uniquement en écoutant ce que nous leur disons ; ils apprennent aussi en nous copiant. C'est parfois effrayant. Un de mes amis, en voiture avec ses enfants, était arrêté à un feu rouge. Des piétons traversaient. Son fils de 5 ans tendit le doigt vers une famille asiatique en faisant un commentaire raciste. Mon ami, qui avait combattu au Viêtnam, reconnut des mots qu'il lui arrivait de prononcer. Dans la bouche d'un enfant, ils lui parurent inacceptables. Il se gara et expliqua au garçon qu'il était désolé d'avoir parlé comme ça et qu'il ne voulait plus jamais l'entendre dire des choses pareilles.

LES ENFANTS APPRENNENT À AIMER EN NOUS REGARDANT

Même l'amour, les enfants l'apprennent par imitation. Ils adorent voir leur père et leur mère échanger un baiser ou un geste de tendresse. Ma fille est incapable de résister au plaisir de se glisser entre ma femme et moi quand elle nous voit dans les bras l'un de l'autre. Elle vient s'imprégner de la chaleur de notre union. Même le désir de s'isoler, quand la porte de la chambre se referme sur le couple, leur transmet une part de la magie et du mystère de l'amour.

Il est important pour votre fils que vous fassiez preuve de respect envers sa mère. Et que vous vous fassiez respecter. N'acceptez pas d'injures ou d'insolences sans répondre, et clairement. Votre fils a besoin de voir, non seulement que les femmes ne sont jamais maltraitées, mais qu'un homme peut défendre son point de vue calmement, sans se battre ou exploser de rage, qu'écouter n'interdit pas de se faire entendre. Les garçons détestent voir leur père se laisser rabaisser.

LES ENFANTS COMPRENNENT CE QU'ILS RESSENTENT EN NOUS REGARDANT

C'est en observant leurs parents, et les adultes en général, que les enfants comprennent leurs propres émotions. Il en existe quatre fondamentales qu'il est nécessaire d'exprimer :

- la tristesse quand quelqu'un est mort ou après une déception ;

- la colère quand on vous a fait du tort ;

- le bonheur quand tout va bien ;

- la peur quand il y a du danger.

Cela dit, nous devons respecter un équilibre dans l'expression de nos émotions. Les enfants ont besoin de se rendre compte que nous éprouvons, nous aussi, des sentiments, mais ils se sentent menacés quand nous nous laissons submerger. Mieux vaut parler qu'agir, exprimer sa colère par des paroles mais retenir ses gestes. Nous pouvons partager nos peurs, mais sans perdre tous nos moyens. Même un homme a le droit de pleurer s'il a du chagrin, à condition de garder sa dignité.

Les adultes transforment souvent les émotions qui les dérangent en quelque chose de plus confortable, de la colère généralement. Quand le petit dernier s'est égaré dans le centre commercial, ou quand l'adolescent a pris un risque stupide, un parent capable de dire «J'ai eu peur» a bien plus d'impact que celui qui hurle ou claque les portes.

Les enfants cherchent à trouver les bons moyens de réagir à leurs émotions, et ils ont besoin de notre exemple pour y arriver. Les adultes qui se mettent en colère alors qu'ils sont en réalité tristes, effrayés ou même heureux, ne leur simplifient pas la tâche !

TÉMOIGNAGE

Montrer ses émotions

«Au début de l'année, j'ai reçu un coup de téléphone m'annonçant qu'un des mes meilleurs amis avait un cancer en phase terminale. Quand j'ai raccroché, j'avais les larmes aux yeux. Je me suis rappelé que mon fils de 12 ans était dans la maison. Qu'allait-il penser s'il voyait son père pleurer ?

Mais quand je suis passé au salon pour annoncer la nouvelle à ma femme, le chagrin l'a emporté. Elle m'a pris dans ses bras et je suis resté debout à la serrer contre moi en sanglotant. J'ai senti mon fils approcher, poser sa main sur mon épaule... Il venait me réconforter ! Et sa présence me soutenait dans ma peine, une peine que je partageais au lieu de la garder au fond de moi comme d'habitude.

Cette expérience m'a fait changer d'attitude, et j'espère que mon exemple permettra à mon fils d'avoir lui aussi accès à la délivrance qu'offrent les larmes. Je ne veux pas qu'il réagisse aux inévitables chagrins qu'apporte la vie en se repliant sur lui-même ou en se montrant agressif.»

QUOI QU'IL ARRIVE AU COUPLE, NE DIVORCEZ PAS DE VOS ENFANTS

Divorcer porte un coup terrible aux espoirs et aux rêves d'un père pour ses enfants. Certains hommes éprouvent une telle peine qu'ils «coupent les ponts». D'autres doivent se battre devant les tribunaux pour obtenir un droit de visite. Il est pourtant essentiel, après une séparation, que le père continue de s'occuper de ses enfants. La loi commence à le reconnaître, et les cas où l'autorité parentale est partagée à égalité après une rupture deviennent de plus en plus nombreux. J'ai eu l'occasion de parler à des hommes qui ont cru qu'en s'effaçant, ils rendraient le divorce plus simple pour leurs enfants. Aujourd'hui, tous regrettent profondément leur choix.

Pour le bien de vos enfants, faites l'effort de vous montrer poli et aimable avec votre ancien conjoint, même s'il vous en coûte. Vous pouvez même faire mieux encore : sauver le couple avant qu'il ne soit trop tard. Parfois, il suffit juste de consacrer plus de temps et d'attention à l'autre.

LA BAGARRE : QUE SE PASSE-T-IL VRAIMENT ?

Il existe un comportement spécifiquement masculin qui a été observé dans le monde entier. Les pères (mais aussi les oncles et les grands frères, entre autres) adorent se bagarrer avec les petits garçons. Ils n'arrivent pas à résister à la tentation.

Cette manie est restée longtemps un mystère, en particulier pour les femmes qui voyaient soudain le tohu-bohu recommencer alors qu'elles venaient enfin d'obtenir le calme ! Mais on a découvert que, grâce à ces jeux, les enfants apprennent une leçon essentielle : comment s'amuser, faire du bruit, et même se mettre en colère tout en sachant quand s'arrêter. Pour un mâle qu'excite la testostérone, cette leçon est vitale. Quand vous avez un corps d'homme, il faut apprendre à en garder le contrôle.

LA GRANDE LEÇON : SAVOIR QUAND S'ARRÊTER

Jouer à la bagarre avec un petit garçon, disons de 3 ou 4 ans, débute toujours dans la bonne humeur. Mais, souvent, au bout d'une minute ou deux, il se laisse emporter. Il se fâche. Ses petites mâchoires se crispent ; ses sourcils se rapprochent ; et si vous n'avez pas remarqué les symptômes à temps, il cesse de plaisanter et commence à taper pour de bon, à coups de coude et de genou. Aïe !

Un père qui sait ce qu'il fait arrête tout de suite : «Stoooooop !» Puis il donne une petite conférence, sans crier, en expliquant calmement : «Ton corps est précieux (en le montrant du doigt), et mon corps est précieux. Nous ne pouvons pas jouer à ce jeu si quelqu'un risque d'être blessé. Nous avons donc besoin de quelques règles, comme : pas de coups de poing, pas de coups de coude et pas de coups de genou ! Tu comprends ? Tu t'en sens capable ?» Voici un bon tuyau : toujours dire «Tu t'en sens capable ?» plutôt que «Tu es d'accord pour suivre ces règles ?» Aucun garçon ne va répondre «Non» à une question comme «Tu t'en sens capable ?».

Puis vous recommencez. Le petit garçon est en train d'apprendre un des talents les plus utiles dans la vie : la maîtrise de soi. Il se sent fort et excité mais capable de se retenir d'utiliser sa force. Devenu adulte, il en aura probablement plus que sa femme ou que sa compagne. Il doit savoir comment ne pas «se laisser emporter», en particulier quand il est en colère, fatigué et frustré.

La survie d'un mariage exige parfois que les époux se retrouvent nez à nez en train de hurler à gorge déployée ! C'est le «moment de vérité», celui où les deux membres du couple expriment et dénouent les désaccords qui se sont accumulés.

Une femme ne peut pas avoir ce genre de mise au point avec un homme si elle ne se sent pas en complète sécurité avec lui. Elle a besoin de savoir qu'il ne la frappera jamais. Et il a besoin de savoir, lui aussi, qu'il ne le fera pas. Il arrive dans certains couples que la question se pose dans l'autre sens !

Rien ne caractérise mieux ce qu'est un homme, «un vrai». Un homme accompli se maîtrise et maîtrise sa conduite. Et il commence à acquérir cette maîtrise en se bagarrant sur la moquette du salon avec Papa ou tonton Jérôme.

RESPECTER UNE FEMME

Un jour, vers 14 ans, un garçon fait une découverte très intéressante. Il réalise soudain qu'il est plus grand que sa mère ! Et même le plus doux, le plus gentil des fils ne peut s'empêcher de se dire tôt ou tard : «Elle ne peut pas m'obliger à faire ce que je ne veux pas !»

De la pensée à l'action, le pas est vite franchi. Bientôt, même s'il s'y prend de manière indirecte, il essaiera le bluff ou l'intimidation pour refuser l'autorité de sa mère. C'est un moment délicat de son éducation mais il n'a rien d'affolant.

Imaginons la scène. Elle se déroule dans la cuisine. Jérémie, 14 ans, a pour tâche dans la maison de s'occuper de la vaisselle : rincer les plats sales, tout ranger dans le lave-vaisselle et mettre la machine en marche. Rien de particulier, il fait ça depuis l'âge de 9 ans. Mais hier, il n'a pas fini. Et ce soir, quand sa mère veut prendre les assiettes pour servir le dîner que son mari a préparé, elle les trouve sales.

Bien entendu, elle le gronde : «Qu'est-ce que ça veut dire ?» Mais fort de ses 14 ans, Jérémie hausse les épaules et prend un air dédaigneux. Il marmonne peut-être une réponse insolente.

Nous sommes toujours dans la fiction et cette famille a vraiment de la chance. Premièrement, il y a un père. Deuxièmement, il est à la maison. Et, troisièmement, il connaît son boulot !

Le père de Jérémie est en train de lire le journal au salon. Il comprend ce qui se passe à la cuisine. C'est son tour d'entrer en scène. Quelque chose de profond en lui attendait ce moment. Il plie son journal et va s'appuyer contre le réfrigérateur. Jérémie le sent entrer – c'est une sorte de réaction atavique, hormonale. Il perçoit le glissement du rapport de force. Son père le regarde d'un air sévère, puis il prononce les paroles consacrées, celles que vous avez probablement entendues quand vous aviez vous-même 14 ans : «Ne parle pas à ta mère sur ce ton ou tu auras affaire à moi.»

Précisons les choses. La mère de Jérémie est une femme d'aujourd'hui parfaitement capable de se débrouiller avec son fils. La différence, c'est qu'elle n'a pas à faire front seule. Jérémie réalise qu'il a en face de lui deux adultes qui se respectent et se soutiennent mutuellement, et qui vont l'élever comme il faut, ensemble.

Plus important encore, la mère de Jérémie sait qu'elle n'aura jamais à se sentir intimidée dans sa propre maison. Il ne s'agit pas d'une question de supériorité physique entre le père et le fils, mais plutôt de force morale. S'il s'agit d'un père responsable, et donc crédible, qui respecte sa compagne, ce genre d'intervention marchera à tous les coups, même s'il faut parfois discuter plus longtemps. La discussion ne doit pas avoir la vaisselle pour sujet, mais les limites à ne pas dépasser dans les rapports. (Les femmes qui élèvent un fils seules doivent aborder la situation sous un angle légèrement différent, un sujet qu'évoque le chapitre «Mère et fils».)

LES «PÈRES EN TOC»

Vous devez savoir qu'il existe des hommes qui n'occupent pas dans la famille la place d'un adulte. Ils peuvent travailler très dur au bureau et jouir d'une grande considération à l'extérieur, mais quand ils rentrent à la maison, ils se transforment en l'un des enfants. Quel poids pour l'autre parent !

Les «pères en toc» dévoilent le plus souvent leur jeu sur les questions de discipline. La mère essaie avec vaillance d'obtenir de son fils qu'il nettoie derrière lui dans la cuisine, et voilà Monsieur qui s'en mêle : «Qu'est-ce qu'il t'a encore fait ?» ou «Il a oublié, il n'y a pas de quoi fouetter un chat.»

Il s'agit là de graves erreurs. Il est normal dans un couple d'avoir des divergences d'opinion sur la discipline, mais elles doivent se régler en tête-à-tête. Les hommes qui sapent l'autorité de leur compagne devant les enfants finissent par avoir une vie sexuelle épouvantable.

Les femmes ne veulent pas d'un enfant pour mari ; elles veulent un homme. Pas un macho débordant de muscles, juste quelqu'un qui se tiendra à leur côté et les aidera à avancer. Il est toujours triste d'entendre des paroles comme : «J'ai quatre gosses, dont mon mari.»

DOIS-JE CONNAÎTRE TOUTES LES RÉPONSES ?

J'ai éprouvé un énorme soulagement quand je me suis aperçu que je n'étais pas obligé de toujours savoir quoi faire en tant que père. En grandissant, les enfants nous confrontent à de nouveaux problèmes et il arrive forcément des moments où nous n'avons pas de réponse toute prête. «Peuvent-ils dormir chez leur nouvel ami ?» «Ce livre leur convient-il ?» «Comment réagir à cet écart de conduite ?» Etc. Il est parfois difficile de trancher.

Que faire ? Si vous n'avez pas de réponse à donner tout de suite, accordez-vous du temps. Le plus simple consiste encore à en parler avec votre compagne ou un ami. S'il n'en sort rien, demandez à d'autres parents. Mes enfants savent qu'en me harcelant, ils augmentent les chances que je dise non, et ils sont devenus prudents ! Ils acceptent plus volontiers que je réponde : «Désolé, mais je ne sais pas. Je vais dormir dessus et nous en rediscuterons demain.» Tant que vous tenez parole, cette méthode donne de bons résultats. La vie de famille se construit au jour le jour.

TÉMOIGNAGE

Lettre d'un père

«Cher Steve,

Nous avons eu beaucoup de problèmes avec notre fils. Et il en a eu avec nous ! Je suis heureux de dire que les choses vont bien pour lui aujourd'hui. D'autres parents de garçons apprécieront peut-être de pouvoir profiter de notre expérience.

Ce qui différenciait le plus Jim de sa sœur Léa, c'était qu'il possédait une vitalité explosive. À 8 ans, il a foncé devant une voiture sans prendre le temps de regarder. Heureusement, le conducteur avait commencé à freiner en voyant son ballon rouler sur la route. Notre fils l'a quand même échappé belle. Les garçons ne semblent pas toujours réfléchir avant d'agir.

Nous nous y sommes vraiment mal pris quand Jim est entré dans l'adolescence. Sa sœur avait posé tellement peu de problèmes que nous avons pensé qu'il en irait de même avec lui. Mais il n'aidait pas à la maison, ne faisait pas ses devoirs et ne rentrait pas aux heures convenues. Le raisonner ne servait à rien... Puis nous avons compris que c'était à nous de fixer clairement les limites et de sanctionner les dépassements. Jusqu'ici, il avait eu droit à des menaces, bien sûr, mais que nous n'avions jamais mises à exécution. Quand nous avons commencé à le faire systématiquement, quitte à nous sentir vraiment sévères parfois, sa conduite a changé du tout au tout. Il était plus heureux. Je crois que certains garçons ont besoin qu'on leur serre la vis.

Nous avons également appris que ses professeurs le trouvaient formidable alors qu'il se montrait si désagréable à la maison. À croire qu'il se défoulait sur nous ! Beaucoup de parents à qui j'en ai parlé ont connu cette situation : le petit diable à la maison qui se métamorphose en petit ange à l'école.

Vers 14 ou 15 ans, nous avons eu l'impression que Jim s'évadait dans un monde à lui : il parlait à peine, avalait son repas et disparaissait. Il ne nous révélait rien de ce qu'il vivait au collège, de ses amis, etc. Par chance, nous avons toujours dîné tous ensemble, et ce moment privilégié autour de la table nous a permis de rétablir la communication. Nous avons résolu, lui et moi, de passer plus de temps ensemble, de nous offrir des week-ends entre hommes. Ma femme a surveillé ses paroles pour réussir à sortir du cercle vicieux des reproches mutuels. Elle a commencé à faire des compliments à son fils et pas seulement des critiques. Ses réactions faisaient plaisir à voir. Je crois que nous nous étions laissé enfermer dans une relation conflictuelle. Les enfants veulent avoir des rapports amicaux avec leurs parents, et non pas s'isoler dans un univers personnel où ils se sentent souvent très seuls.

Nous avons même suivi un stage d'éducation parentale. Nous y avons appris deux choses importantes. La première est qu'il vaut mieux parler à la première personne : «J'étais inquiet parce que tu n'es pas rentré à l'heure convenue» ou «J'ai besoin de passer avec toi des accords que tu respectes» plutôt que «On ne peut vraiment pas te faire confiance !» et «Si tu n'es pas là à cinq heures, ça va chauffer !» La deuxième, c'est qu'il faut écouter les enfants quand ils parlent de leur problème et surtout ne pas se précipiter tout de suite avec des conseils. Nous sommes beaucoup plus heureux aujourd'hui. Jim n'a plus rien d'un garçon hargneux et s'est transformé en un jeune homme sociable et souriant. Des parents ne doivent jamais abandonner. Renseignez-vous ; cherchez de l'aide si vous perdez pied. Vous pouvez toujours améliorer les choses si vous essayez. Les enfants ont besoin de nous, ils ont besoin que la communication continue de passer.

Marc H.»

TANT PIS S'ILS N'AIMENT PAS ÇA

Il n'y a rien de dramatique à ce que vos enfants vous en veuillent une ou deux fois par jour ! Si vous avez une histoire commune riche en bons moments passés ensemble, vous disposez d'une réserve de bienveillance comparable à une fortune en banque. Un de mes amis proches m'a raconté un jour comment il avait «pété les plombs» avec son fils de 12 ans. Au beau milieu du repas, il l'avait envoyé se coucher en hurlant. Le garçon méritait en partie la punition, mais les hurlements étaient d'une violence inutile – la conséquence d'une longue et frustrante journée de travail. Quelques minutes plus tard, son fils passa devant lui pour aller à la salle de bain se laver les dents. Il murmura une phrase que son père n'oubliera jamais : «Pourquoi est-il si dur de te détester ?»

LES PÈRES ONT DE L'IMPORTANCE

Beaucoup de gens me demandent : «Les pères sont-ils vraiment nécessaires ? Une femme ne peut-elle pas faire aussi bien toute seule ?» Les enquêtes statistiques menées sur la question vont toutes dans le même sens. Privés de père, les garçons courent plus de risques de commettre des actes de violence, d'être blessés, de s'attirer des ennuis, d'avoir de mauvais résultats à l'école et de devenir délinquants à l'adolescence. Les filles vont plus souvent souffrir d'un complexe d'infériorité, avoir des rapports sexuels prématurés, tomber enceintes jeunes, subir des violences et arrêter leurs études sans diplôme.

Les mères célibataires disposent en général d'un revenu inférieur et leurs enfants ont tendance à descendre l'échelle sociale. Cela vous suffit-il ?

Élever vos enfants est la plus belle tâche que vous aurez sans doute l'occasion de remplir, pour votre propre satisfaction et pour le bonheur d'autres êtres humains. En plus, elle offre beaucoup d'occasions de s'amuser.

EN BREF

1. Prenez le temps d'être un père. Quand la société nous transforme en machines à travailler, nous avons le devoir de nous battre pour la liberté de nous occuper de notre famille.

2. Faites des choses avec vos enfants. Bavardez, jouez, bricolez, partez en voyage. Profitez de chaque occasion pour échanger.

3. Le trouble du déficit de l'attention est parfois dû à un déficit d'attention paternelle.

4. Ne laissez pas votre compagne assumer seule la discipline. Souvent, un fils obéit plus facilement à son père, pas par crainte, mais par respect et par envie de lui faire plaisir. Les châtiments corporels et le recours à l'intimidation ne font que rendre les enfants plus violents.

5. Un garçon vous copiera. Il imitera votre façon d'agir envers sa mère. Il adoptera vos attitudes, qu'elles soient celles d'un raciste, d'une personne éprise de justice, d'une perpétuelle victime ou d'un optimiste. Et il ne saura exprimer ses émotions que s'il vous voit exprimer les vôtres.

6. Beaucoup de petits garçons aiment jouer à la bagarre. Profitez de ces moments de plaisir pour apprendre à votre fils

à se contrôler. Fixez des règles et arrêtez le jeu quand il devient trop brutal.

7. Apprenez à votre fils à respecter les femmes et à se respecter lui-même.

6.
Mère et fils
(Ce chapitre a été écrit avec Shaaron Biddulph.)

Rappelez-vous cet instant. L'accouchement vient de finir. Vous soufflez, votre bébé contre vous. Pour la première fois, vous pouvez vraiment le voir, contempler son petit visage, ses bras potelés, ses mains minuscules, son ventre rond... Une mère met parfois un moment à prendre pleinement conscience qu'elle a vraiment mis au monde un garçon : un corps mâle grandi à l'intérieur de son corps à elle. La sensation peut être déconcertante et même choquante !

Beaucoup de femmes disent qu'elles se sentent plus en confiance avec un bébé fille. Elles ont l'impression qu'elles savent intuitivement comment s'en occuper. Mais un garçon ! Il n'est pas rare d'entendre une mère qui vient d'avoir un fils s'exclamer : «Mais je ne sais pas comment faire !» Aussi soigneusement qu'on s'y soit préparée sur le plan intellectuel, la première réaction «venue des tripes» reste souvent : «Là, je ne sais pas où je vais !»

TÉMOIGNAGE

Une histoire de mère

«Quand mon fils a commencé à grandir, je me suis montrée vraiment stricte sur la répartition des tâches ménagères. À 6 ans, il nourrissait le chien, faisait son lit et essuyait les assiettes ! À 9 ans, il savait faire une lessive, passer la brosse dans la cuvette du cabinet et préparer des repas simples. Il n'était pas question que je le laisse devenir un fainéant comme mon père. Dans la famille où j'ai grandi, le père était servi par sa femme et ses filles, et je détestais ça.

Mon deuxième enfant a été une fille. Quand elle a eu 6 ans, je me suis aperçue que je me sentais beaucoup moins pressée de la mettre au travail. Je ne renonçais pas à l'idée, mais je ne l'appliquais plus avec la même énergie. Je montrais à Julie comment faire les choses, mais je ne la houspillais pas pour qu'elle les fasse. Je me suis rendu compte qu'inconsciemment, ça me gênait de l'obliger à travailler !

Quand j'étais petite, mes sœurs et moi devions travailler dur dans l'épicerie de nos parents. Le soir après l'école, pendant le week-end et les vacances, nous y restions jusqu'à tomber de fatigue et avoir mal aux jambes. J'ai toujours détesté être obligée de travailler.

Regarder en face mes motivations profondes m'a permis d'aborder la question de manière plus équilibrée. Aujourd'hui, mes enfants ont tous les deux des tâches ménagères à accomplir, mais ils ont aussi tous les deux le temps se détendre et de jouer. Et nous en sommes tous très heureux.»

LES ANTÉCÉDENTS DE LA MÈRE

Dès le départ, le «rapport au masculin» d'une femme influe sur sa façon de s'occuper de ses enfants. À tort ou à raison, beaucoup de gens font grand cas du sexe d'un bébé. Chaque fois qu'une mère regarde son petit garçon, qu'elle l'entend pleurer ou qu'elle change sa couche, elle ne peut ignorer qu'elle a affaire à un mâle. Or, ce n'est pas le premier mâle à qui elle a affaire.

Elle reste marquée par le souvenir de son père et de la façon dont il s'occupait d'elle. Elle a l'expérience de ses frères, de ses cousins et des garçons qu'elle a fréquentés à l'école. Puis il y a tous les hommes qu'elle a connus : amants, amis, enseignants, employeurs, médecins ou collègues. Tout cela forme la trame de son «rapport au masculin» et pèse sur son attitude envers le bébé. Ses opinions sur «comment sont les hommes», «comment les hommes m'ont traitée» et «ce que j'aimerais voir changer chez les hommes» colorent son rapport avec l'enfant.

Comme si cela ne suffisait pas, ses sentiments envers le père du garçon compliquent encore le tableau. Surtout si le bébé se met à lui ressembler, ou si le couple se sépare ou commence à battre de l'aile. Une femme qui ne prend pas conscience de cette influence sur ses sentiments en subira quand même l'effet, mais sans pouvoir compenser.

FACE AU BÉBÉ

Nos opinions et nos a priori sur les mâles se reflètent dans nos rapports quotidiens avec nos fils : chaque fois que nous nous précipitons pour les aider ou choisissons de les laisser se débrouiller seuls ; chaque fois que nous les encourageons ou que nous les grondons ; chaque fois que nous les serrons contre nous ou que nous les repoussons avec un froncement de sourcils. Toutes nos réactions découlent de ce que réveille en nous le fait d'avoir un bébé... et plus particulièrement un garçon.

Autant aborder la question avec curiosité et se renseigner sur ce qu'est un monde de garçon. En tant que femme, vous ne pouvez pas savoir ce qu'on ressent dans un corps masculin. Et si vous n'avez pas été élevée avec des frères, vous manquez sans doute d'informations sur ce qui est normal ou pas chez les garçons. Pouvoir se tourner vers son mari ou un ami aide beaucoup. Parfois, on a juste besoin de renseignements pratiques.

TÉMOIGNAGE

Lettre d'une mère

«Cher Steve,

En lisant le manuscrit de *Élever un garçon*, j'ai eu envie d'ajouter quelques mots qui me tiennent à cœur.

Je voudrais dire à toutes les mères qui liront ce livre que les garçons ne sont pas comme nous. Il vous faudra faire des efforts pour les comprendre et les connaître, mais ne renoncez jamais. Il existe un point de rencontre entre une mère et son fils. Le trouver oblige parfois à se remettre en question. Vous devrez peut-être changer de point de vue, oublier l'image idéale que vous vous étiez faite de votre enfant pour mieux voir ses qualités réelles.

Les garçons sont sensibles, et ils ont besoin de l'aide de leur mère pour vivre pleinement leurs sentiments. Ils sont capables de tellement d'amour ! Donnez-leur l'occasion de s'occuper d'animaux, de jouer avec des enfants plus jeunes ou de les aider. Voyez comme ils savent être gentils et attentionnés.

Partagez les passions de votre fils. Félix (9 ans) et moi, nous avons un rituel hivernal. Le samedi après-midi, nous allons voir la deuxième mi-temps du match de rugby organisé sur le stade local. Quarante-cinq minutes me suffisent et nous entrons gratuitement. Nous nous asseyons en général au niveau de la ligne d'essai, assez près pour sentir le sol et l'air vibrer au passage des joueurs. Félix prend un grand plaisir à m'indiquer leurs noms et à m'expliquer les règles. J'ai remarqué qu'il connaît mes centres d'intérêt et choisit en fonction d'eux les détails qu'il me donne. Il me raconte par exemple ce qu'il sait de la vie personnelle des joueurs. L'action sur le terrain, l'énergie et la détermination des joueurs me plaisent. L'atmosphère dans notre vieux stade est amicale et vivante, une bulle de chaleur dans le froid de l'hiver. Rien à voir avec un match regardé à la télévision ! C'est une aventure urbaine.

Les garçons ont souvent du mal à trouver par quel bout attraper une tâche complexe, par exemple un exposé pour l'école qui demande d'utiliser l'ordinateur et de chercher des informations dans un journal ou une encyclopédie. Aidez-les à organiser leur travail. Fixez avec eux des objectifs réalisables, et montrez-leur comment les atteindre en divisant la tâche en parties aisées à maîtriser. Cela leur évitera de se sentir dépassés et de céder à la tentation de renoncer. Faites toutefois attention à ne pas «prendre la main». Laissez à votre enfant la joie d'avoir réussi tout seul.

Développez la curiosité de vos garçons. Promenez-vous avec eux, parlez-leur de ce que vous voyez, intéressez-vous à leurs collections. Suivez l'évolution d'un arbre au fil des saisons, ou l'avancement de la construction d'une maison ou d'un immeuble. Montrez-leur le long chemin qui mène à leur assiette : ne rien oublier sur la liste de courses, choisir les ingrédients en veillant à ce qu'ils soient frais, les préparer puis attendre la fin de la cuisson avant de pouvoir déguster. Impliquez-les dans les projets familiaux et l'organisation des vacances. Ils verront ainsi l'intérêt de concilier leurs propres désirs avec ceux d'autrui.

Assurez-vous qu'ils dorment suffisamment, et respectez un équilibre entre vie sociale et moments de calme. Élémentaires mais essentiels, les rituels du coucher : histoires, câlins, chatouilles ou autres pour qu'ils se sentent protégés, aimés et en paix. Un répertoire commun d'histoires favorites n'a pas de prix.

Enfin, vous pouvez apporter une grande aide à vos fils en stimulant leurs relations avec leur père. Les hommes n'ont pas le même rapport à la vie de famille que nous. Ils participent moins à son organisation et se contentent souvent de ce qui se présente à eux. Incitez votre mari à faire des projets avec ses enfants.

Mettez aussi d'autres hommes de valeur sur le passage de votre fils : un prof de musique sympa, un bricoleur habile, le frère d'un ami... Parlez de ce que vous appréciez chez eux et dirigez la curiosité de votre enfant sur la façon dont ces hommes se comportent selon les circonstances.

Rappelez à votre enfant son passé : quel superbe bébé il était, l'importance qu'a eue pour vous sa naissance, le rayon de soleil qu'il a apporté dans votre vie, et tous les moments de bonheur que vous a donnés en grandissant ce beau garçon d'aujourd'hui.

En toute amitié.
J. T.»

AIDE PRATIQUE

L'anatomie des petits garçons

Pénis et testicules recèlent quelques mystères pour les mères. Voici les questions qu'elles posent le plus souvent :

Q : Quand mon fils doit-il avoir ses deux testicules visibles ?

R : Ils doivent être entièrement apparents à 6 semaines.

Q : Est-ce que je peux toucher son pénis pour le laver ?

R : Bien sûr. Vous devez soigneusement nettoyer la région du pénis et des testicules quand vous changez sa couche et quand vous lui donnez le bain. Un petit garçon qui n'a plus besoin de couche peut se laver lui-même sous votre contrôle.

Q : Dois-je replier le prépuce pour laver complètement le pénis ?

R : Ce n'est pas nécessaire et c'est même déconseillé. Chez les nouveau-nés, le prépuce adhère à l'extrémité du pénis. À l'âge des premiers pas, les garçons le tirent d'eux-mêmes petit à petit et, vers 3 ou 4 ans, vous constaterez qu'il se rétracte. Vous pourrez alors demander à votre fils, de temps en temps dans le bain, de dégager la pointe de son pénis pour la nettoyer. Apprenez-lui aussi à replier son prépuce pour bien se sécher après une douche ou un bain, et après avoir fait pipi afin de ne pas garder d'urine dessous.

Q : Mon garçon tripote son pénis, l'étire ou le presse. Que dois-je faire ?

R : Sauf rares exceptions, les enfants s'arrêtent dès qu'ils ont mal et ne peuvent donc pas se faire grand tort. Un pénis exerce toujours une certaine fascination sur son propriétaire, et il se révèle agréable à manipuler. N'en faites pas une histoire.

Q : Mon fils presse son pénis pour se retenir d'uriner. Est-ce dangereux ?

R : La plupart des garçons agissent ainsi. Les filles possèdent de puissants muscles pelviens qui leur permettent de se retenir sans que personne s'en aperçoive. Les garçons n'ont pas la même anatomie et, quand ils ont besoin d'aller aux toilettes alors qu'ils sont pris dans un jeu, ils ont le réflexe de serrer avec la main. Insistez pour qu'il fasse une pause pipi.

Q : Comment devons-nous appeler le pénis de notre enfant ?

R : Appelez un pénis un pénis. N'allez pas chercher des noms bêtas.

Q : En grandissant, il arrive parfois que les garçons reçoivent des coups dans les testicules. Que faire alors ?

R : Les testicules sont extrêmement sensibles. C'est la raison pour laquelle tous les hommes grimacent instinctivement en voyant, par exemple, un joueur de football recevoir un coup de pied au bas-ventre. Mais ce genre de choc ne provoque généralement pas de dégâts durables. Emmenez votre garçon à l'abri des regards et examinez-le avec douceur. S'il souffre beaucoup, enfle, saigne ou vomit, si un hématome se forme ou si la douleur perdure, conduisez-le droit chez le docteur. Sinon, laissez-le prendre le temps de se remettre. S'il reste sensible au bout de plusieurs heures, consultez un médecin.

Si vous avez le moindre doute sur un de ces sujets, parlez-en à votre docteur, mieux vaut toujours rester prudent.

Encouragez les enfants à se respecter mutuellement. Ne tolérez pas que votre fils ou votre fille se conduise comme si le fait de blesser un camarade pouvait être amusant ou sans importance. Intervenez sans faiblesse si un jeu incite à saisir ou à frapper les organes génitaux. Malgré toutes les plaisanteries sur le sujet, recevoir un coup dans les testicules n'a rien de plus drôle que d'en recevoir un dans les seins. Les testicules sont même bien plus sensibles.

TÉMOIGNAGE

Au magasin

Julie avait emmené son fils Tom, âgé de 8 ans, au centre commercial pour quelques courses. À l'entrée du super-marché, deux filles de la classe de Tom bavardaient sur un banc. Le garçon leur lança un «Salut !» ravi, mais au lieu de répondre, elles se mirent à ricaner en détournant le regard !

Leurs achats terminés, alors qu'ils marchaient vers la voiture, Julie s'aperçut que son fils restait étrangement silencieux.

- Quelque chose te tracasse ? demanda-t-elle.

- Non, non, ça va, affirma Tom.

Mais Julie insista :

- C'est à cause des filles ? Ça t'a fait de la peine qu'elles ne te disent pas bonjour ?

- Euh... Oui, admit-il.

Julie réfléchit avant de répondre.

- Je ne sais pas si ce que je vais te dire va t'aider, mais je me rappelle quand j'avais leur âge. Nous avions toutes notre garçon préféré. Mais ce n'était pas si simple. S'il te parlait, en particulier devant des copines, des fois tu te sentais gênée. Alors tu ricanais pour ne pas le montrer.

Tom ne dit rien, mais il parut soudain marcher d'un pas plus assuré.

- On a oublié le lait ! s'exclama Julie. Il faut qu'on y retourne !

Et avant que le garçon ait eu le temps d'ouvrir la bouche, elle avait fait demi-tour et se dirigeait vers le magasin.

- Ça tombe bien, poursuivit-elle, tu vas avoir une seconde chance !

Les filles n'avaient pas bougé et elles accueillirent Tom d'un «Salut !» plein d'entrain. Les enfants commencèrent à discuter, tandis que Julie partait chercher le lait... qu'elle mit longtemps à trouver !

MAMAN AIDE À COMPRENDRE L'AUTRE SEXE

Comme l'illustre l'histoire de Julie et Tom, une mère a beaucoup à apprendre à un garçon sur les choses de la vie et de l'amour. Rien ne peut la remplacer pour l'aider à acquérir de l'assurance avec le sexe opposé. Elle est le «premier amour» de son fils, et si celui-ci a besoin qu'elle se montre tendre et gaie, elle ne doit pas chercher à le garder pour elle ou à dominer son univers. Respecter son autonomie est aussi une démarche active. À l'âge scolaire, elle l'encourage à se faire des amis et lui donne des conseils sur la manière de s'entendre avec les filles.

Vous devez admettre qu'au tournant du troisième millénaire, tout ce qui peut faciliter les relations avec l'autre sexe est le bienvenu. Une mère a beaucoup à apporter à son fils dans ce domaine. Elle peut en particulier lui apprendre que les filles n'apprécient pas les garçons pour leurs muscles et qu'elles préfèrent ceux qui ont de la conversation, le sens de l'humour et leurs propres opinions. Elle doit aussi le prévenir qu'il ne faut pas les prendre pour des saintes et qu'il arrive parfois que certaines se montrent très cruelles avec ceux qui sont tombés sous leur charme.

Le parent du sexe opposé détient souvent la clé du respect que se porte un enfant en train de grandir. Les adolescentes ont besoin, pour avoir une bonne image d'elles-mêmes, que leur père les traite en personnes intelligentes et intéressantes. Ce qui ne lui interdit pas de leur apprendre aussi à changer une roue, à surfer sur l'Internet ou à pêcher à la ligne. Un garçon dont la mère apprécie la compagnie saura se lier d'amitié avec des filles – du moins jusqu'à 15 ans, avant que les choses ne se compliquent.

LUI DONNER UNE BONNE IMAGE
DE LUI-MÊME

Beaucoup de garçons deviennent terriblement maladroits à l'époque du lycée. Ils semblent honteux de leurs grands corps bourrés d'hormones. Les hommes qui font la une des médias sont souvent des violeurs, des meurtriers ou des personnages politiques aux pratiques malhonnêtes. Un adolescent peut facilement se sentir gêné d'appartenir au sexe masculin.

Ses doutes dépendront beaucoup de l'attitude de sa mère. Pour donner de l'assurance à un enfant, certaines réflexions, si elles sont sincères, valent de l'or. Nous citerons par exemple, à partir de 10 ans : «Mon Dieu, quel beau jeune homme !» lors de l'essayage de nouveaux habits, ou «La fille qui t'épousera aura beaucoup de chance» s'il a bien rangé sa chambre, ou encore «J'aime bien me promener avec toi», «Mais d'où sors-tu des blagues aussi drôles ?», etc.

AJUSTER VOTRE ATTITUDE À SON ÉVOLUTION

Vous voyez toujours dans votre fils, cette armoire à glace qui vous dépasse d'une tête, le bébé sans défense qu'il était à sa naissance. Vous devez adapter votre façon d'élever votre fils aux étapes de sa croissance. Au début, vous êtes le «boss». Vous contrôlez tout et rien ne vous échappe. Puis vient l'école. Vous transmettez votre savoir, surveillez ses progrès et fixez les limites. Vous devenez ensuite une conseillère et une amie, tandis qu'il suit sa propre voie. Vous lui donnez progressivement de plus en plus de responsabilités et de liberté. Tout est une question de minutage. Voici quelques pistes.

Les années de primaire

Tant qu'il est à l'école primaire, une mère pilote son fils dans la vie et lui porte assistance quand besoin est. Elle prévient les dangers et évite les déséquilibres. Elle fixe des limites au temps passé devant la télévision ou la console de jeu, et l'oblige à sortir prendre de l'exercice.

Encouragez votre enfant à inviter des amis à la maison et montrez-vous gentille et curieuse avec eux. Parlez avec eux de l'école, intéressez-vous à leur vie.

S'il va chez un copain, il est tout à fait normal de vouloir savoir qui les surveillera. Les garçons peuvent se mettre dans de sacrés ennuis à cet âge si on ne les garde pas à l'œil. Jusqu'à 10 ans, il ne faut pas les laisser seuls dans un appartement ou une villa plus d'un court moment. Il ne faut pas non plus les laisser traverser la rue tout seuls ou faire du vélo sur des routes fréquentées. Leur vision périphérique ne leur permet pas encore de bien évaluer les vitesses.

Le secondaire

Vivre avec un collégien revient plus à chercher un équilibre dans l'échange : «Je te conduis là, mais tu m'aides à ça», «Si tu veux manger, commence par ranger.» Vous risquez de vous sentir exclue d'une partie de son existence. Restez néanmoins chaleureuse et disponible, surtout si le dialogue devient difficile. Préservez des moments de tête-à-tête. En vous arrêtant par exemple dans un café après avoir fait des courses ou l'avoir accompagné au cinéma.

À cet âge, certains garçons adorent toujours les câlins ; d'autres ne les supportent plus. Trouvez une manière d'exprimer votre affection qui respecte ses vœux. Serrez-vous contre lui sur le canapé ; caressez ses cheveux en lui souhaitant bonne nuit ; chatouillez-le...

Il vous faudra peut-être affronter un système scolaire prêt à dévorer la vie de votre enfant. Accordez-lui chaque trimestre un jour de «congé santé», c'est-à-dire un jour où il manque l'école non parce qu'il est malade mais pour se reposer et rester au calme.

En première et en terminale, alors qu'approche le bac et qu'augmente la pression, aidez votre fils dans ses études s'il le faut, mais sans oublier de lui rappeler que le travail n'est pas un but en soi et que les distractions et les joies de l'esprit ont aussi de l'importance. Il doit savoir que sa valeur ne se mesure pas à l'aune de ses résultats d'examen.

Il faut encourager ses enfants à donner le meilleur d'eux-mêmes à l'école sans toutefois exagérer. Dans certains pays comme la France, le mythe du diplôme prend des proportions déconcertantes. Aux États-Unis et en Australie, l'on ne juge pas des aptitudes de quelqu'un uniquement d'après sa formation scolaire. Mieux vaut parfois prendre son temps que se fourvoyer sur une mauvaise voie. Un adolescent n'a pas à négliger ses études, mais s'il veut qu'elles lui profitent, il doit découvrir ce qu'il a vraiment envie de faire et avoir aussi une vie sociale qui l'épanouit.

LE POIDS DES CONSÉQUENCES

C'est pendant ses années de secondaire qu'un enfant construit son sens des responsabilités et celui-ci s'acquiert en assumant les conséquences de ses actes. Pendant ses premières semaines de collège, vous aiderez probablement votre fils à penser aux livres dont il a besoin et à partir à l'heure. Une fois qu'il aura pris le pli, ce sera à lui de se débrouiller et de supporter les conséquences d'un oubli ou d'un retard. Il apprendra vite !

La vraie discipline repose sur la coopération. Faites appel à son sens de la justice ; négociez. Vous ne pouvez pas obliger un adolescent à obéir par la force, mais vous lui fournissez de nombreux services qui vous donnent un immense pouvoir de marchandage.

AIDE PRATIQUE

Aux fourneaux

Intéresser des enfants à la cuisine n'a rien de difficile, la nature est de votre côté : ils aiment manger ; ils aiment les odeurs, les couleurs et les saveurs des aliments ; et ils aiment jouer avec !

Un bébé s'amusera beaucoup, assis par terre à côté de vous, à faire rouler une orange ou à manipuler les noix contenues dans un bol en plastique. Quand il saura se tenir debout, il pourra découvrir la pâte à sel. Il sera ravi de pétrir avec vous la farine, l'eau et le sel, d'étaler la pâte puis de la découper pour fabriquer des jouets à décorer de couleurs vives.

À partir de 4 ou 5 ans, la pâtisserie devient encore plus excitante parce qu'on la mange. Certaines activités comme mouler des biscuits ou napper un gâteau conviennent bien à des enfants de cet âge. Ne les laissez toutefois pas approcher du four ou d'objets brûlants.

Quand vous cuisinez, les petits garçons peuvent vous assister en mélangeant, en versant, en mesurant ou en pesant. Confiez-leur les carottes et les pommes de terre à laver. Disposer d'un petit coin de potager augmente encore le plaisir. Ce sont les radis qui poussent le plus vite. Fraises et tomates cerises connaissent également un grand succès. À défaut, des aromates en pot sur un rebord de fenêtre permettront tout de même de s'amuser à la cueillette.

La cuisine est une création. Tomates, carottes, céleri, concombres et emmenthal coupés en tranches, en rondelles ou en triangles permettent de réaliser des chefs-d'œuvre : un visage de clown sur une pizza par exemple. Pour se rafraîchir en été, rien n'égale les «glaces à l'eau» fabriquées en mettant au congélateur du jus de fruit, du soda ou du sirop dilué. Il existe dans le commerce des moules prévus spécialement à cet effet.

À partir de 10 ans environ, des enfants peuvent manipuler des couteaux affûtés, des liquides chauds et un four électrique. Après leur avoir montré comment s'en servir, vous devrez surveiller comment ils se débrouillent, puis vérifier qu'ils restent prudents. S'ils sont turbulents, il faudra peut-être prendre la précaution de n'en accepter qu'un à la fois dans la cuisine.

Voici quelques plats que les garçons aiment préparer :
- les pizzas – achetez la pâte et la base de la garniture et laissez-les compléter ;
- les grillades – poisson pané, steak haché, saucisses ou côtelettes ;
- les crêpes et les omelettes ;
- les salades mélangées ;
- les hamburgers ;
- les pâtes (avec une sauce en conserve) ;
- le poulet rôti ;
- les œufs mimosa (avec une mayonnaise toute prête) ;
- le hachis Parmentier (avec de la purée en sachet).

Ne manquez pas de vous montrer très fière de leurs œuvres et de les remercier pour leur aide à la cuisine. Connaître des recettes simples de pâtisserie leur permettra de faire des cadeaux à leurs amis.

N'oubliez pas que des garçons ont aussi besoin de voir leur père préparer à manger.

Autres conseils de sécurité
Apprenez à vos enfants à :
- surveiller ce qui chauffe, et reste chaud, pendant qu'ils cuisinent ;

- ne jamais rien prendre dans le four à main nue et se méfier des plats qui viennent d'en sortir ;

- manipuler les couteaux avec précaution ;

- nettoyer tout de suite la nourriture renversée par terre (afin de ne pas glisser dessus) ;

- tourner les manches des casseroles et des poêles de manière à ce qu'ils ne dépassent pas de la cuisinière pour éviter de s'y accrocher par mégarde ;

- remonter leurs manches et porter un tablier (ou des vêtements qui les protégeront du contact d'un plat chaud) ;

- se laver les mains avant de commencer.

MÈRES CÉLIBATAIRES : ÉVITER LES CONFLITS QUI BLESSENT

La puberté de leur fils ouvre pour les mères seules une période délicate de remise en question des rapports qui existent entre eux. Les enfants de cet âge cherchent à tester leur force et à acquérir de l'indépendance. Un couple aura moins de problème : un garçon peut se disputer avec son père mais savoir que sa mère l'aime toujours (et vice versa). Mais quand la mère est seule à dispenser à la fois amour et discipline, elle doit faire très attention.

Beaucoup de femmes le disent : «Je devais sans cesse changer d'attitude : sévère, puis affectueuse, dure, puis douce. C'était vraiment épuisant.» (C'est toutefois mieux que d'avoir un compagnon qui vous contredit et sape votre autorité.) Il est important de ne jamais laisser un désaccord dégénérer en affrontement physique ou verbal. En cette période clé où l'enfant n'a pas fini d'apprendre à maîtriser son énergie et ses émotions, il risque de vous blesser et d'en souffrir ensuite terriblement. Si le ton d'une discussion monte trop, suivez ces conseils :

1. Essayez de réagir avant d'être réellement bouleversée. Si vous attendez d'être en larmes ou hors de vous, votre fils va se sentir coupable et gêné.

2. Dites-lui que vous avez besoin de vous calmer. Si vous pouvez tous deux vous servir quelque chose à boire, vous asseoir et reprendre la conversation de manière rationnelle, faites-le.

3. Si vous vous sentez trop en colère ou trop fâchée, dites-lui que vous reviendrez sur le sujet plus tard, quand vous aurez retrouvé votre sang-froid.

4. Prenez-le à part plus tard dans la journée. Laissez de côté le problème originel pour le moment. Parlez de la question de la bonne entente dans la maison et de son importance pour vous. Demandez-lui s'il tient également à cette bonne entente. Expliquez qu'elle impose parfois des compromis. Les points sur lesquels vous ne ferez pas de compromis sont sa sécurité, le respect des accords conclus et les droits des autres membres de la famille. Demandez ensuite s'il veut bien accepter de toujours arrêter une dispute pour se calmer, si vous le réclamez. Puis vous pouvez fêter cet accord, ou reparler du problème qui a provoqué la discussion.

En agissant ainsi, vous dites en fait : «Une mère célibataire et son fils adolescent sont dans une situation délicate. Ils ont besoin de conclure des trêves pour maintenir la paix.»

Si votre fils vous frappe ou vous menace, demandez de l'aide à une assistante sociale ou à la police. Vous êtes pour lui sa principale source d'amour. S'il vous blesse, physiquement ou affectivement, il se sentira très mal lui aussi. Le problème réside dans le fait que, pour grandir, il a besoin de tester ses limites. Si vous avez de la chance, il y a dans son entourage au moins un oncle, un grand-père ou un ami adulte qu'il estime. Celui-ci pourra lui parler du respect qu'il vous doit. Et, dans l'idéal, il s'y prendra de manière à ne pas charger le garçon d'un lourd senti-

ment de culpabilité. Plus encore qu'un couple, une mère célibataire doit s'efforcer de permettre à son fils de grandir dans un
milieu où il pourra établir des rapports de confiance avec des
hommes mûrs.

AIDE PRATIQUE

Présenter un nouveau compagnon

Après avoir déjà subi le choc de la séparation de ses
parents, un enfant aura un gros effort d'adaptation à faire
si sa mère trouve un nouveau compagnon. À elle de
prendre des précautions pour éviter de lui causer de la
peine et donner toutes ses chances à la nouvelle relation.
Voici quelques conseils inspirés d'expériences vécues.
Même si vous les désapprouvez, ils offrent de bons points
de départ à une réflexion personnelle sur la question.

1. Pas d'hommes de «passage». Une mère seule ne devrait
pas exposer son fils à une myriade d'influences masculines.
Et elle ne devrait pas introduire un nouvel homme dans
la vie de son enfant avant d'être vraiment prête à s'investir
dans une relation à long terme. Mieux vaut profiter, pour
les rendez-vous sentimentaux, des périodes où le garçon
est chez son père.

2. Ne pas enlever sa place au père. Le nouveau compagnon n'a pas à apparaître comme un substitut du père.
Son rôle est différent. Les règles de discipline et les habitudes domestiques qu'il introduit doivent être clairement
expliquées à l'enfant et présentées comme venant en
complément, et non en remplacement, des règles et des
habitudes établies par le père et la mère.

3. Faire la paix avec le père. L'assurance donnée par la
nouvelle relation aidera une femme à assumer sa part de
responsabilité dans l'échec de son couple, à se montrer

plus conciliante avec son ancien compagnon et à lui accorder une plus large place dans l'élaboration des projets et les prises de décision. (Sauf, bien sûr, si le garçon court des risques avec son père, ou si celui-ci ne veut plus le voir.) Les deux parents ont là une chance de dépasser leurs ressentiments mutuels pour le bien de leur enfant.

4. **Accepter qu'il vive avec son père.** À partir de la puberté, une mère n'a pas à empêcher son fils de partir chez son père s'il le lui réclame. Parfois, ce sera même à elle de faire le premier pas et de lui proposer cette option afin qu'il se sente libre de la demander.

5. **Pas de compétition entre fils et conjoint.** L'enfant d'une femme qui se remarie ne doit pas perdre l'assurance qu'il tient une place irremplaçable dans sa vie. Sa mère l'en convaincra par ses actes et par le temps qu'elle lui consacrera, non en achetant son approbation avec des cadeaux.

Les règles d'or sont simples : continuez à communiquer, entretenez les rituels familiaux et passez du temps seule avec votre enfant. Dans cette situation, des parents ne peuvent pas faire à un fils plus grand cadeau que leur propre stabilité.

TÉMOIGNAGE

Partager un garçon avec son père

Beaucoup de mères me disent s'être rendu compte un jour qu'elles avaient le pouvoir de faciliter ou de gêner la relation de leurs garçons avec leur père. Cette lettre merveilleuse en offre un exemple concret. Son auteur décrit comment elle s'est aperçue qu'elle «se mettait en travers» et combien la vie est devenue plus riche quand elle a permis à son mari de partager le fardeau, et les récompenses, de l'éducation de leurs enfants.

«Cher Steve,

J'ai traîné mon mari à l'une de vos conférences sur le rôle du père dans la famille moderne et j'aimerais vous faire part du résultat. La scène qui le résume le mieux reste gravée dans mon esprit.

Une semaine après la conférence, nous sommes partis avec Éric dans la station balnéaire où nous passons tous les étés quinze jours avec nos quatre fils, âgés de 8 à 16 ans.

Peu de temps après notre arrivée, nous étions en train de boire un café quand, en jetant un coup d'œil dehors, je vis nos deux garçons les plus âgés sortir avec des mines de conspirateurs de l'épicerie située de l'autre côté de la rue. Leur sac en plastique contenait visiblement une bouteille d'alcool. J'ai bondi sur mes pieds, mais mon mari était déjà debout. Il m'a dit avec une fermeté inhabituelle : «Je vais m'en occuper.» L'étonnement m'a laissée sans voix. Je suis retombée sur ma chaise et l'ai regardé partir !

Je dois expliquer ici que, pendant de nombreuses années, Éric a tenu le rôle du «bosseur discret». Il faisait vivre la famille, mais c'était moi qui me chargeais seule de l'éducation des enfants. Parfois, je trouvais ma tâche aisée ; parfois il arrivait qu'elle me pèse.

Quand il est revenu après avoir réglé le problème, je lui ai demandé s'il se souvenait de cette conférence et ce qu'il en avait pensé (espérant, bien sûr, qu'il avait retenu les points qui m'intéressaient). Ses paroles résonnent encore à mes oreilles. «Eh bien, principalement, j'ai compris que je t'avais laissée faire barrage entre les garçons et moi, et je n'ai pas l'intention de continuer !»

Une fois le choc encaissé, ma première réaction fut de me justifier ! Mais j'avais à peine commencé que je réalisai qu'il avait raison. J'ai toujours voulu que mes fils deviennent des adultes forts et responsables et, dans ce but, je les ai protégés de ce que je croyais mauvais pour eux. Et je trouvais Éric trop infantile pour leur donner un bon exemple. Je pense malheureusement que cette opinion était justifiée il y a seize ans. Mais je n'ai pas pris garde qu'il avait mûri et qu'il était aujourd'hui le genre d'homme que je voulais que mes fils deviennent ! J'ai digéré cette découverte et il me semble que c'est un piège dans lequel tombent beaucoup de femmes qui ont une forte personnalité. Nous nous persuadons que nous sommes un lien essentiel entre nos maris et nos fils, alors qu'en fait, nous sommes une barrière.

J'ai réussi à prendre du recul et à laisser leurs relations se développer... Et elles se sont développées, croyez-moi. Nos fils les plus jeunes en ont particulièrement profité. Je laisse maintenant Éric intervenir quand se dresse le mur du «tu peux pas m'obliger», et je continue d'être étonnée par l'efficacité de ses interventions. Ma nouvelle attitude n'a pas seulement permis que se renforcent les rapports entre mes fils et leur père. Notre couple aussi a changé. Notre respect mutuel a beaucoup augmenté.

Rester en retrait va contre ma nature et, dans les situations tendues, je retrouve mes vieilles habitudes. Mais Éric a continué à prendre confiance en lui avec la pratique, et maintenant, il me tient tête !»

AIDE PRATIQUE

Les garçons et les tâches ménagères

Participer aux tâches ménagères est excellent pour les garçons, et pour plusieurs raisons !

1. Ils se préparent à une vie indépendante. Rien n'indique que votre fils se mettra tout de suite en ménage en partant de chez vous. Il ne faut d'ailleurs pas le souhaiter. Une période de vie indépendante est fortement recommandée. Et il y a peu de chance qu'elle se déroule sans qu'il soit obligé à un moment ou à un autre de faire la lessive, de passer l'aspirateur ou de se préparer quelque chose à manger ! Se familiariser jeune avec ces tâches évite de souffrir en grandissant d'allergies telles que la «récurophobie» qui finissent par vous faire vivre dans un taudis.

Savoir faire le ménage et la cuisine présente un autre avantage à 20 ans. Dans la liste de ce qui plaît aux filles, ce genre de talent ne figure pas loin derrière la voiture de sport. Il n'y a qu'un seul cas où vous ne devez imposer aucune contrainte domestique à votre fils : si vous voulez le garder à la maison toute votre vie !

Même le mariage n'offre plus à votre garçon l'assurance d'éviter les contraintes ménagères. La femme avec qui il s'établira risque fort de montrer peu d'enthousiasme à l'idée de tenir le rôle de la bonne. Tout indique qu'il va devoir faire sa part pendant toute son existence !

2. C'est bon pour l'amour-propre. Le véritable respect de soi ne s'acquiert pas en ressemblant au dernier chanteur en vogue ou en portant les mêmes chaussures que son footballeur préféré. Des études de comportement ont montré que certaines familles favorisent chez leurs enfants des réactions telles que «À quoi bon», «Je n'y arriverai pas» et «Rien de ce que je fais ne marche jamais».

Certaines familles privilégient d'autres messages : «Je peux le faire», «Il doit y avoir un moyen de réussir» et «Je peux au moins essayer.»

Le meilleur moyen d'avoir une bonne image de soi-même consiste à se rendre utile. Se montrer capable de préparer un repas, de repasser une chemise, de s'occuper d'un animal ou d'astiquer suffisamment de mètres carrés de carrosserie pour se payer un ordinateur offre de grands moments de fierté, et de fierté justifiée. Nous devons multiplier les occasions qu'ont nos enfants de tester leurs capacités.

À compter de 10 ans, votre fils peut parfaitement s'occuper de temps en temps du dîner, même s'il s'agit seulement de pâtes accompagnées d'une sauce en conserve et suivies d'une salade de fruits. (Ne laissez pas un enfant de moins de 9 ans manipuler de l'eau bouillante, sa coordination musculaire n'est pas suffisante. Il peut se rendre utile autrement, en épluchant des légumes ou en les lavant, par exemple.) Un petit garçon de 5 ans sait disposer les couverts autour des assiettes ou retrouver ses vêtements dans la pile de linge fraîchement repassé. À 7 ans, il est assez grand pour mettre la table, etc.

3. On profite de moments d'intimité. Il existe une raison de mettre les enfants au travail à la maison qui va vous surprendre : ça permet de discuter.

Peu de garçons se lancent dès la porte franchie dans de grandes et franches déclarations sur leurs progrès à l'école, les problèmes avec leurs amis ou leur vie amoureuse. S'ils se montrent aussi discrets, ce n'est pas juste pour frustrer la curiosité de leurs parents. Leur mutisme vient souvent de ce qu'ils discutent plus facilement «côte à côte» que face à face. Ils préfèrent, pour se livrer, être engagés dans une activité utile qui retient leur attention et parler à quelqu'un qui travaille à côté d'eux. Ils ont ainsi plus de temps pour chercher leurs mots et la conversation prend une dimension moins «officielle».

Si vous voulez rester proche de votre fils et partager ses soucis et ses joies, il vous faut faire quelque chose ensemble. Hors des loisirs, la vie moderne offre peu d'autres occasions que les tâches ménagères. C'est en l'assistant dans la confection d'un soufflé pour le dîner, ou en lui montrant comment repasser un pantalon, que vous découvrirez ses problèmes avec le professeur de mathématiques ou le nom de la fille qui lui court après. Nous connaissons une famille qui refuse d'acheter un lave-vaisselle pour préserver les conversations devant l'évier. Nous trouvons cela fou et en même temps admirable !

Plus sérieusement, les moments que vous passerez à apprendre à votre fils à assumer avec bonne humeur et efficacité les tâches qui permettent de mener une vie agréable dans une maison propre et rangée vous offriront d'importantes occasions de dialogue et d'échange. Si vous le traitez comme un coq en pâte, vous y perdrez et lui aussi.

ÉGALITÉ DES SEXES

Les mères d'aujourd'hui appartiennent à une génération de femmes qui se sont battues pour le droit au respect et à l'égalité, et elles tiennent à élever filles et garçons sur le même pied. Nous nous hérissons quand nous voyons notre fils se montrer grossier avec une fille, et entrons en rage s'il agit avec arrogance ou brutalité. Mais nous connaissons aussi le revers de la médaille. Nous avons mal pour lui quand nous savons qu'il est regardé de haut dans la cour de l'école et nous partageons sa détresse quand il se fait humilier par les filles de sa classe ou (quelques années plus tard) par la femme qu'il aime.

Nous marchons sur une corde raide. Nous devons l'aider à s'affirmer en tant que personne sans le laisser céder à la vanité.

EN BREF

1. Donner naissance à un garçon fait remonter à la surface tout ce que les mâles représentent pour vous. Attention à ne pas charger de trop de préjugés ce bout de chou innocent.

2. Si vous n'avez pas eu l'occasion de fréquenter de près de jeunes garçons (tels que des frères), demandez à des hommes de vous en parler. N'ayez pas peur du corps d'un garçon !

3. Un enfant apprend l'amour avec sa mère. Donnez-lui chaleur et tendresse, et profitez de votre bébé.

4. Expliquez les filles à votre garçon et apprenez-lui à bien s'entendre avec elles.

5. Vantez les qualités de votre fils pour qu'il se sente bien dans sa peau.

6. Ajustez votre attitude à son évolution. Restez vigilante sur les questions de sécurité et l'équilibre nécessaire à sa santé. Prenez du recul à partir de la puberté, mais ne perdez jamais le contact avec son univers et ses sujets d'intérêt. Assurez-vous qu'il ne perd pas pied au lycée, et notamment à l'approche du bac.

7. À l'adolescence, laissez-le subir les conséquences de ses actes. À cet âge, il doit assumer davantage ses responsabilités. C'est à lui de surveiller l'heure pour ne pas arriver en retard au collège.

8. Initiez-le très tôt aux plaisirs de la cuisine, puis profitez du résultat.

9. Pendant son adolescence, prenez garde de ne pas laisser les conflits dégénérer, en particulier si vous élevez votre fils seule. Calmez-vous, puis revenez au sujet de manière rationnelle.

10. Même si une forte personnalité vous y pousse, évitez de vous interposer entre votre mari et vos enfants, et d'effectuer à sa place sa part d'éducation. Vos garçons et vous avez besoin qu'il s'investisse. Encouragez vos fils et leur père à se rapprocher.

7.
Découvrir la sexualité

Tous les parents souhaitent pour leurs enfants une sexualité épanouie qui leur permette de jouir de rapports sincères, intenses et gais. Mais tous redoutent aussi qu'ils ne se lancent à l'aventure les yeux fermés. Aux risques anciens de la grossesse accidentelle et des maladies sexuellement transmissibles s'est ajouté le péril mortel du SIDA. Perdre la tête peut faire perdre beaucoup plus que ça !

Découvrir l'amour est une expérience merveilleuse mais souvent très déconcertante. La première chose que des jeunes gens doivent comprendre, c'est qu'il existe trois formes d'attirance :

- l'amitié : une rencontre de l'esprit – le partage d'intérêts et de points de vue communs ;

- l'amour : une entente du cœur, chaude, intense, tendre – l'aspiration à ne faire qu'un ;

- le désir : une envie du corps de l'autre qui vous met sur des charbons ardents !

Les premiers pas en amour consistent pour l'essentiel à faire le tri dans ses élans. Les erreurs sont inévitables ; il faut apprendre à les reconnaître le plus vite possible.

Les adolescents tombent facilement amoureux. À leur âge, ils en ont tellement envie que leur imagination rend éblouissante toute personne acceptable. Ils sont «amoureux de l'amour» autant que de la personne elle-même. Avec le temps, la fiction s'estompe et laisse apparaître l'être humain. Les sentiments peuvent alors augmenter : les gens «pour de vrai» sont bien plus intéressants, ou décevants. Mais au moins, les adolescents savent ce qu'est une vraie relation.

Une règle simple résume la morale qui doit s'appliquer dans le domaine sexuel : ne jamais faire souffrir quelqu'un intentionnellement. Pour bien débuter sa vie sexuelle, un adolescent doit avoir reçu beaucoup d'affection pendant son enfance, bénéficié d'une bonne information pratique et atteint un minimum de maturité.

AIDE PRATIQUE

Partir du bon pied
L'adolescence, ça se fête

Voici la description d'une petite cérémonie que nous avons imaginée quand notre fils est entré dans la puberté. Elle a pour but de permettre aux parents d'intervenir à un moment où ce qu'entendent les garçons dans la cour de l'école risque d'avoir une influence négative sur leur manière d'aborder la sexualité.

L'idée consiste à fixer une date à laquelle célébrer le début de l'adolescence, un peu comme on célèbre un anniversaire. Bien que cela puisse paraître jeune, ce début correspond dans notre société à l'âge de l'entrée au collège. Les conversations sur le sexe auxquelles participent les élèves dans la cour de récréation, aussi explicites que mal informées, peuvent modeler leur comportement futur.

Prévenez à l'avance votre fils que vous avez prévu une petite fête en son honneur. Le clou en sera un repas dans un restaurant de son choix – un vrai restaurant, pas un fast-food. À la date prévue, au début de la soirée, les parents prennent l'enfant à part pour avoir une conversation un peu solennelle. Envisagez de vous mettre d'accord au préalable sur ce que chacun va dire ; le moment est mal choisi pour une dispute. Il n'est pas obligatoire d'être deux pour cette discussion, et un parent isolé peut très bien s'en charger seul. Ce sera peut-être même plus facile.

Une fois tout le monde installé, parlez à votre fils de la sexualité et de ce qu'elle signifie pour vous. Ne vous cachez pas derrière les petites fleurs et les abeilles (auxquelles il a certainement déjà eu droit) mais parlez de votre propre expérience dans ce domaine, de la place que le sexe tient dans votre vie. Soyez aussi personnel que possible. Je me rappelle que cette sincérité nous avait vraiment demandé un effort. Notre fils était gêné et avait hâte que la discussion finisse, mais les expériences importantes ne sont pas toujours agréables.

En donnant chacun sa propre vision de la sexualité, les deux parents rendent plus concret ce qui est l'un des grands plaisirs de la vie et rassurent leur fils sur le fait qu'il le connaîtra aussi, en se masturbant pour commencer, puis, plus tard (bien plus tard, insistent souvent les mères), avec une ou un partenaire. Il est important de mentionner ici que vous ne savez pas si votre enfant sera hétérosexuel ou homosexuel.

Puis il est l'heure de partir célébrer l'entrée dans l'adolescence. Les parents sortent dîner avec ce seul enfant et éventuellement des adultes, amis ou membres de la famille, qu'il aura voulu inviter. Pendant le repas, parlez de votre fierté de le voir grandir (mais sans référence à la sexualité) et évoquez des souvenirs. Racontez des moments mémorables ou drôles que vous avez vécus avec lui ; montrez des photos si vous en avez apporté. Il s'agit avant tout de passer un bon moment. Et de donner le sentiment à votre fils, en lui rendant en quelque sorte hommage parce qu'il sort de l'enfance, qu'il est en train de prendre de nouvelles responsabilités.

TÉMOIGNAGE

Les «porcs»

La scène se passe dans le service commercial d'une grande entreprise située dans une zone industrielle de banlieue. Trois cadres d'un certain âge pénètrent dans un petit bureau et ferment la porte. La stagiaire de 17 ans leur jette un regard anxieux parce que la scène s'est déjà produite. Les hommes l'entourent, commencent à faire des remarques sur sa façon de s'habiller. Puis ils l'interrogent en termes crus sur sa vie sexuelle. Quand ils partent enfin, elle éclate en sanglots.

Un étudiant d'université diffuse sur l'Internet un fantasme. Il décrit comment il kidnappe, viole puis assassine une jeune femme qu'il nomme. Cette jeune femme existe ; elle suit les mêmes cours que lui. Renseignée, la police interroge l'étudiant, mais ne sait pas quoi faire.

Plusieurs élèves de médecine partagent un grand appartement. Sur la porte de la cuisine, ils ont punaisé la liste des noms des infirmières qui travaillent dans une maison de retraite voisine. Ils les cochent au fur et à mesure qu'ils arrivent à coucher avec elles...

Tous ces hommes se comportent comme des «porcs», un mot que nous utiliserons ici pour désigner ces gens qui transforment la sexualité en quelque chose de dégradant. On pourrait espérer qu'ils sont rares, mais beaucoup d'adolescents adoptent des attitudes de ce genre, si l'on en croit du moins leur façon de parler. Il suffit de les entendre quand ils se retrouvent entre eux, dans un vestiaire de salle de sport par exemple. Les propos qu'ils tiennent sur les femmes sont parfois choquants, voire inquiétants. Plus le groupe est nombreux, plus il favorise ce genre de discours. En dehors du groupe, la plupart de ces garçons se montrent en fait prévenants et respectueux envers les femmes qu'ils connaissent. Leur grossièreté n'est qu'une pose. Malheureusement, quelques-uns ne jouent pas. Ils expriment vraiment ce qu'ils ressentent. Le gros problème, c'est que le groupe fixe la norme à cet âge. Les garçons plus jeunes risquent de croire que c'est ainsi qu'ils doivent traiter les femmes et parler d'elles.

UNE SAINE APPROCHE DU SEXE

Les parents élèvent leurs garçons pour que ceux-ci se sentent bien dans leur peau de mâles et heureux de leurs désirs sexuels. Mais les médias diffusent d'épouvantables nouvelles. Aux viols perpétrés en série en Bosnie succèdent des instituteurs pédophiles ou des *serial killers* aux obsessions détraquées. Difficile pour un garçon de 13 ou 14 ans d'aborder ces informations avec recul alors qu'il sent monter en lui des appétits inconnus qu'attisent les images des femmes exhibées partout autour de lui. La testostérone charriée par son sang démange et fait gonfler son pénis. À cet âge, la plupart des garçons se masturbent au moins une fois par jour. Leur énergie sexuelle est énorme. Et pourtant, rien n'est fait pour prendre en compte cette nouvelle dimension de leur vie. Le plus souvent, on n'en parle même pas. Ils restent seuls face à leurs doutes et se demandent si une fille pourra un jour s'intéresser à eux. Ils ne savent pas si leurs intentions sont honorables ou si ce sont celles d'un violeur qui n'est pas encore passé à l'acte !

L'éducation sexuelle comprend deux parties : les détails physiques de l'acte lui-même et la question bien plus large des attitudes et des valeurs. Les parents devraient décrire les aspects pratiques de la sexualité, en se donnant ou en profitant des occasions, dès la petite enfance. Le sujet réellement important à traiter, c'est l'état d'esprit dans lequel on aborde les rapports sexuels. S'ils n'ont pas de parents ni d'adultes proches qui font l'effort de parler avec eux de la sexualité (et du bien et du mal), où les enfants peuvent-ils se tourner pour définir leurs valeurs, si ce n'est vers leurs amis et la télévision ? Expliquez clairement à vos fils qu'il y a une bonne approche du sexe (qui respecte l'autre et n'oublie pas les risques de grossesse et de SIDA) et une mauvaise (qui exploite l'autre).

AIDE PRATIQUE

Les garçons qui veulent être des filles

J'ai souvent eu l'occasion de discuter avec des parents qui s'inquiétaient parce que leur fils aimait s'habiller en fille, ou disait vouloir être une fille. Une étude réalisée sur une période de quinze ans auprès de trois garçons atteints d'un tel «trouble de l'identité sexuelle» arrive à des conclusions optimistes.

La psychologue qui a dirigé l'enquête estime que le désir de porter des vêtements féminins et d'avoir des activités dites «de fille» n'a rien d'exceptionnel chez les garçons. À son avis, il ne s'agit pas d'un problème définitif mais d'un retard de développement qui demande à être abordé avec tolérance et en protégeant l'enfant des moqueries en particulier. Il n'y a pas de rapport avec l'homosexualité. Les trois garçons étudiés retrouvèrent un comportement normal à la fin de l'adolescence.

Le désir d'agir en fille, pour un garçon, va à l'encontre du conformisme naturel chez les enfants et correspond donc à une pulsion très profonde. Le contraindre à y renoncer risque de provoquer une douloureuse frustration. Lors d'une émission radiophonique sur le sujet, des travestis téléphonèrent pour raconter qu'on les avait empêchés de s'habiller en fille quand ils étaient jeunes et que cela n'avait fait que renforcer leur détermination. Chez eux, l'interdiction avait peut-être rendu définitif un trait de caractère qui aurait dû disparaître de lui-même.

Les moqueries subies à l'école ou dans les autres structures collectives peuvent avoir de graves conséquences psychologiques. Apprenez à votre fils à se montrer discret, et à ignorer les moqueurs ou à les tourner en dérision.

Les causes de ce désir d'agir en fille restent incertaines, mais les trois garçons suivis par l'étude avaient tous des pères qu'un handicap ou une maladie rendait très passifs dans la famille. Un père qui s'investit dans l'éducation de son fils lui permettra plus aisément de trouver le modèle masculin attirant.

LE DANGER DES MAUVAISES PLAISANTERIES

Quand j'étais au collège, il y avait dans ma classe une élève dont la poitrine grossit plus vite que celle de ses camarades. Les deux garçons les plus âgés se mirent alors à la siffler ou à faire des remarques salaces à chaque fois qu'ils la croisaient. La plaisanterie devint une véritable obsession et je crois que nous avions tous envie qu'ils arrêtent. Linda avait une personnalité ouverte et confiante jusqu'alors, mais nous pouvions la voir perdre peu à peu son assurance. Ils transformaient sa vie en enfer. Je regrette que nous n'ayons pas eu assez de maturité pour leur dire de cesser, et de les confronter à la cruauté et à la stupidité de leurs paroles.

Plus tôt dans ma scolarité, j'avais un bon ami, Joseph, qui arrivait de Malte. Parce qu'il était petit, ou peut-être parce qu'il avait la maladresse et la timidité des immigrés de fraîche date, certains élèves se mirent à l'appeler «pédé». Dans la cour, ils le fuyaient en faisant semblant de protéger leurs arrières. Joseph se renferma de plus en plus et finit par quitter l'école.

Quand je me remémore ces moments, j'ai honte de ne pas être intervenu. Aujourd'hui, je ne laisse pas passer le moindre dérapage de langage. Les jeunes gens qui, chez nous, utilisent des mots comme «pédé» ou «métèque» ne recommencent pas.

C'est souvent la stupidité plus que la méchanceté qui est à l'origine de ce genre d'attitudes. S'il y avait eu avec nous des adultes ou des garçons plus mûrs, il leur aurait suffi d'une simple remarque pour faire cesser les brimades. Des adolescents laissés à eux-mêmes ne diffèrent guère d'aveugles guidés par d'autres aveugles, et c'est en général le plus petit dénominateur commun qui décide de leur conduite.

Les relations à l'intérieur de groupes de pairs peuvent aussi avoir des effets bénéfiques. Plusieurs fois dans ma jeunesse, il m'est arrivé de voir une bande qui importunait une fille s'arrêter parce que l'un de ses membres intervenait. Et j'ai rencontré des vétérans de la guerre du Viêt-nam qui m'ont raconté comment ils avaient réussi à calmer des amis submergés par la colère ou le chagrin, et à les empêcher de commettre des atrocités. Une grande part de l'aide que les hommes s'apportent entre eux consiste à s'éviter mutuellement les ennuis.

En collectivité, faire évoluer une situation dans la bonne direction demande du doigté. Les jeunes ne peuvent acquérir ce talent que par l'exemple, en voyant quelqu'un d'autre agir dans des conditions similaires. J'ai souvent remarqué que, dans les cours d'école, lorsqu'un petit se fait mal, un enfant plus âgé s'arrête de jouer pour venir s'occuper de lui. Parfois, ceux qui entourent le blessé se contentent de rire, ajoutant la souffrance de l'humiliation à la douleur physique, ou se montrent gênés et détournent le regard. Le garçon qui apporte spontanément son aide vient généralement d'une famille nombreuse où il a pris l'habitude de s'occuper de frères ou de sœurs plus jeunes. De tels enfants sont agréables à avoir dans une classe.

Beaucoup de garçons ont du mal à parler de sujets personnels avec leurs amis. C'est dommage car ils se privent du soulagement et de la possibilité de faire le tri dans leurs idées. Jusqu'à la fin du secondaire, je n'ai pas eu avec mes camarades de discussion profonde. Nos conversations allaient rarement au-delà du dernier épisode de *Mission impossible*. Les filles, en revanche, discutaient de tout sans fin. Il y avait pourtant beaucoup de problèmes dont nous aurions pu parler. Mon voisin de classe avait un père alcoolique qui le battait régulièrement. En terminale, l'un des élèves a dû supporter le divorce difficile de ses parents alors qu'il était en pleine préparation du bac. Moi qui passais mes journées avec ces garçons, je n'appris tout cela que des années plus tard.

Les parents – et en particulier les pères – qui ont des relations ouvertes avec leurs fils, qui leur parlent et écoutent leurs problèmes, leur donnent plus d'aisance pour en faire autant avec leurs amis. C'est un gros atout dans la vie.

LES GARÇONS FACE AUX FILLES

Les adolescents pensent que les filles sont merveilleuses. Ils envient leur bon sens, leur grâce et l'aisance avec laquelle elles rient et bavardent. Par-dessus tout, ils sont sensibles aux alléchantes promesses sexuelles qu'elles incarnent. Le tout s'allie souvent à un grand romantisme. Beaucoup de garçons de cet âge peuvent idéaliser une quasi-inconnue jusqu'à voir en elle le modèle de tout ce qui est noble et pur.

Mais au quotidien, face aux personnes réelles, leurs relations avec le sexe opposé butent sur un obstacle. Ils ont du mal à parler aux filles car elles ont plus de conversation et de maturité. Elles leur apparaissent comme des déesses. Elles semblent tenir toutes les cartes et certains garçons finissent par penser qu'ils n'arriveront jamais à sortir avec l'une d'entre elles. Ils se voient destinés à devenir les éternels perdants de la course à l'amour et cela pèse lourdement sur leur moral.

En fait, sans que les garçons le sachent, les filles aussi doutent d'elles-mêmes. Elles aimeraient bien parler avec eux, faire connaissance, partager de l'affection. Si les garçons se montraient plus adroits ou plus audacieux, des relations bien plus constructives pourraient se développer entre les sexes. Au lieu de ça, les filles chuchotent entre elles et se moquent des garçons ; les garçons harcèlent et débinent les filles ; et les timides broient du noir dans leur coin.

Certains garçons ont alors une réaction qu'on pourrait résumer par cette phrase : «Puisque je ne peux pas les aborder sur un pied d'égalité, il faut que je les soumette à mes désirs.» Le ferment d'une mentalité de «macho». L'exploitation généralisée de l'érotisme dans la publicité et chez les médias n'aide en rien. Le message partout affiché, «on ne touche qu'avec les yeux», n'est qu'une énorme provocation. La frustration nourrit inconsciemment une colère qui est par certains côtés justifiée. Chez les garçons qui manquent dans leur vie de contacts avec les filles, elle augmente le risque qu'apparaissent des fantasmes de domination qui rendront d'autant plus difficiles les relations avec l'autre sexe.

Beaucoup d'hommes socialement bien intégrés gardent de leur jeunesse un puissant complexe d'infériorité dans le domaine de l'érotisme. Il fait d'eux de mauvais amants qui finissent par lasser leurs partenaires. Mais en perdant goût aux relations sexuelles, les femmes frustrent leurs maris qui en deviennent encore moins désirables. Je soupçonne ce cercle vicieux d'être à l'origine de beaucoup de ruptures. Tout se joue pendant les années de formation. Avec une attitude positive, de l'affection et du respect, parents et proches peuvent à cette époque profondément influencer l'avenir d'un garçon.

LES GARÇONS ET LEUR COQUILLE

Avez-vous remarqué la manière dont les garçons refoulent leurs sentiments une fois qu'ils sont entrés à l'école ? Petits, ils se montrent expansifs et pleins d'énergie. Mais dans la jungle de la cour de récréation, ils deviennent vite honteux d'émotions utiles et saines comme la tristesse, la peur et la tendresse. Pour faire face, ils endurcissent leur cœur et leur corps ; ils se replient dans une carapace. Quand on pose les mains sur les épaules d'un garçon de 10 ans, on s'aperçoit souvent que la tension rend ses muscles durs comme de la pierre.

Puis, un jour, la puberté frappe. Dans sa carapace, l'enfant prend soudain conscience qu'il se sent merveilleusement vivant à un endroit ! Rien d'étonnant à ce qu'il associe bientôt tous ses désirs de relations intimes (et ses sensations de bien-être) aux activités de son pénis.

Un garçon qui se sent bien dans son corps et peut serrer dans ses bras sa mère, son père et ses sœurs jouit de plus de liberté. Il peut trouver d'autres moyens d'éprouver du bien-être tels que la danse, la musique ou un sport. Le sexe n'a pas le même poids dans sa vie, il ne tourne pas à l'obsession.

UN SUJET DE CONVERSATION, PAS DE RIDICULE

Il faut faire attention à ne pas vous moquer, même gentiment, de l'éveil à la sexualité de votre fils et de ses rapports avec les filles. Vous risquez de rendre le sujet tabou alors qu'il doit rester ouvert.

Vous devez en particulier pouvoir commenter à tout moment une scène vue à la télévision ou une remarque apparue dans la conversation. Avec des garçons de plus de 10 ans, utilisez couramment des termes précis comme «masturbation», «faire l'amour» et «orgasme», et ne cherchez pas à éviter les plus sombres tels que «viol» et «inceste». Mettez surtout en avant ce que le sexe apporte de merveilleux et d'excitant à la vie.

Exigez de la maturité – dans la bonne humeur. Si vous remarquez qu'une scène dans un film provoque chez vos fils des ricanements ou une réaction déplacée, ne laissez pas passer. Interrogez-les, et aidez-les à mieux comprendre. Mais finissez par une plaisanterie ou un rire. Donnez à cette question un tour positif.

L'aisance d'un garçon avec les femmes dépendra beaucoup de ses rapports avec sa mère. S'il a toujours pu compter sur son affection et si elle lui a donné de l'assurance en vantant son charme (mais en gardant ses distances), il partira sur des bases saines. En traitant sa femme avec respect, et en lui manifestant son attirance sans gestes déplacés, son père donnera à l'enfant l'exemple d'une relation avec l'autre sexe où le désir n'exclut pas l'égalité.

À l'école comme dans les activités extrascolaires, il faut donner aux garçons et aux filles des occasions de se lier d'amitié. Cela leur permettra de se découvrir mutuellement avec plus d'aisance qu'en «sortant ensemble». Rien ne leur interdit de passer ensuite à des relations sentimentales.

Ces dernières années, la mode tend à érotiser l'image des enfants dans la publicité et à leur dessiner des vêtements «sexy». Ils n'ont rien à y gagner. Évitez d'étiqueter les amies de votre fils avec des remarques du style «Tu as une fiancée, comme c'est mignon !», en particulier s'il n'a que 5 ans !

LA TENDRESSE S'APPREND

Dans les années soixante, l'anthropologue James Prescott a entrepris une vaste étude dans plusieurs cultures traditionnelles. Il a comparé leurs modes de maternage et le degré de violence qui régnait entre les adultes. Il a découvert que les sociétés où les jeunes enfants recevaient le plus d'affection, le plus de caresses et de câlins, étaient celles où se produisaient le moins de conflits. Plus on grandit dans la tendresse et plus on a de chances de devenir un adulte équilibré et capable de donner à son tour de l'amour. Ainsi les auteurs de violences sexuelles ont-ils presque toujours eu des débuts tragiques marqués par des rejets, des familles brisées ou des séjours en institution. Aimer ses enfants et le leur montrer les immunise contre le désir de nuire aux autres.

LA MASTURBATION ET LA PORNOGRAPHIE

Il fallait l'audace d'un Billy Connolly, comédien écossais réputé pour son franc-parler, pour dire cela de la masturbation :

«Le grand avantage qu'a la masturbation, c'est que vous n'avez pas à vous mettre sur votre trente et un... Je me souviens de ma première expérience sexuelle comme d'un moment terrifiant : il faisait sombre et j'étais seul !... Vous savez, j'ai toujours été pour la masturbation. Je fais partie des gens qui ne prennent pas d'autre exercice. J'en ai besoin pour commencer la journée en forme.»

Malgré le silence qui règne sur la question, tous les hommes se masturbent, pendant leur adolescence, pendant leur vie adulte (et maritale) et pendant leur vieillesse. C'est une pratique simple qui permet de renouveler le sperme et de passer un bon moment. Mais c'est plus que ça, de même que l'acte sexuel dépasse le simple plaisir physique. La masturbation offre aux jeunes gens un moyen de se sentir bien et de mieux se connaître. Éprouvé sans culpabilité, l'orgasme a une dimension spirituelle. Pendant quelques instants, votre corps se perd dans les étoiles...

Les parents ont seulement besoin de faire savoir aux garçons qu'il n'y a rien de mal à se masturber, de ne pas entrer sans frapper dans leur chambre après l'extinction des lumières... et de leur demander d'utiliser des mouchoirs en papier !

La question de la pornographie est un peu plus complexe. Un père m'a un jour demandé :

- Mon fils a 14 ans. Il a couvert les murs de sa chambre de photos de femmes nues. Est-ce que je dois intervenir ?

S. B. : Qu'est-ce que vous ressentez devant ces photos ?

Lui : Je ne suis pas très à l'aise.

S. B. : Et votre femme ? Comment réagit-elle ?

Lui : Elle les déteste.

S. B. : Je pense que vos sentiments à tous deux doivent être pris en compte. Les femmes ont le droit de montrer leurs corps, et les garçons de les regarder ou de fantasmer à leur sujet. Le problème, c'est où, quand et avec qui. Si un garçon s'est procuré des magazines, il devrait les garder pour lui. Sa mère (ou sa sœur) n'a pas à se retrouver confrontée aux photos. Elle peut aussi décider qu'il n'a pas à les avoir du tout. Son mari devra alors soutenir son point de vue.

J'ai soulevé le problème sur l'Internet, dans un forum de discussion où des pères échangeaient leurs expériences. J'ai reçu de nombreuses réponses. La plupart des hommes se souvenaient avoir lu en cachette des magazines vers cet âge. Mais ils faisaient remarquer qu'à leur époque, il était plus difficile de s'en procurer et que les photos étaient bien moins explicites que maintenant. Elles laissaient plus de place à l'imagination.

L'âge de l'enfant influait beaucoup sur les réponses. La plupart des pères trouvaient prématuré pour un garçon de moins de 13 ans d'avoir accès à des photos érotiques ou pornographiques. Ils pensaient qu'elles ne pouvaient que lui nuire à un moment de son évolution où il était important qu'il se lie d'amitié avec les filles et où il n'avait pas la maturité physique et émotionnelle pour passer au sexe.

Un homme écrivit : «Je demanderais à un garçon de 14 ans de ranger ses magazines et de les garder cachés s'il ne veut pas que je les lui confisque. Avec un petit de 9 ans, je les prendrais et je les jetterais. Et je lui expliquerais les raisons de ma décision.»

Interdire ne mène à rien. Vos fils verront ces images sur des magazines prêtés par des copains ou sur l'Internet. Il faut en revanche rester vigilant. Les parents doivent pouvoir empêcher que circulent des publications trop obscènes, tout en évitant de culpabiliser les adolescents parce qu'ils se montrent intéressés ou curieux.

Cette curiosité est saine et naturelle. Ils veulent voir à quoi ressemblent les femmes. Et ils veulent voir ce qui va où et comment ! C'est à vous de les aider à comprendre le message que transmettent ces photos, le type d'acheteurs qu'elles visent et si elles respectent ou non les femmes (bien souvent, c'est non). Il vous incombe peut-être aussi de guider vos fils vers des œuvres érotiques de meilleure qualité. Il existe notamment de nombreuses publications d'art dont les illustrations leur montreront ce qu'ils cherchent sans en donner une image dégradante. L'affaire reste toutefois délicate, gardez votre sens de l'humour à portée de main.

Ces images risquent d'avoir plus d'impact sur les garçons qui ne sont pas habitués à la nudité. S'il leur arrive régulièrement de voir leur père ou leur mère nus sous la douche, ils y attacheront moins d'importance. Le principal danger de la pornographie, c'est qu'elle tend à ôter aux femmes leur dimension humaine pour en faire de simples objets de désir. Nos garçons ne doivent pas oublier face à une jolie fille qu'ils ont avant tout affaire à une personne qui éprouve des sentiments.

Il existe des hommes qui préfèrent se masturber devant un magazine que de faire l'amour. Les images n'imposent pas d'établir une relation avec quelqu'un, et la facilité qu'elles offrent à ceux qui manquent d'assurance peut aller jusqu'à créer une forme de dépendance.

Le sexe doit avoir pour fondement le plaisir et le respect mutuels, et il faut parfois le rappeler également aux filles quand elles succombent à la tentation d'utiliser leur *sex-appeal* pour exploiter ou humilier les garçons. Imposer intentionnellement une frustration est aussi une forme de violence.

ET SI VOTRE FILS EST HOMOSEXUEL ?

Avant même la naissance de nos enfants, nous avons déjà planifié leur vie ! Et comme nos rêves sont conservateurs : un bon métier, un mariage réussi et des petits-enfants que nous ferons sauter sur nos genoux ! Découvrir à l'adolescence que notre fils est homosexuel détruit plusieurs de ces espoirs, et ce sont des images dérangeantes qui les remplacent. Il est naturel d'éprouver alors du chagrin et de l'inquiétude.

Pourtant, le problème provient en grande partie de clichés. Si les parades de la Gay Pride ont permis aux homosexuels d'affirmer leur droit à vivre sans se cacher, il n'est pas certain qu'elles aient beaucoup fait évoluer les fantasmes de monsieur Tout-le-monde ! Il faut savoir qu'elles offrent une image très éloignée de la réalité quotidienne de leurs participants.

En fin de compte, une fois dépassés les préjugés, les soucis des parents d'un fils gay ne diffèrent en rien de ceux de n'importe quel parent. Ils veulent que leur enfant ait une vie heureuse. Ils espèrent qu'il aura une sexualité épanouie et responsable. Et ils craignent de le voir s'éloigner à jamais dans un milieu où ils n'ont pas leur place ou qu'ils ne peuvent comprendre.

Les jeunes gays ont besoin de soutien. Notre société reste cruelle pour ceux qui sortent de la norme. On pense aujourd'hui que les suicides commis à l'adolescence le sont dans une grande proportion par des jeunes gens confrontés à la découverte de leur homosexualité. C'est une prise de conscience difficile et, à ce moment délicat de leur vie, ils ont absolument besoin de la compréhension de leurs parents. Ceux-ci doivent en particulier les protéger de toute forme de persécution.

Il est inutile de s'interroger sur les «pourquoi ?» et les «qu'avons-nous fait ?». On ne connaît toujours pas avec certitude les raisons pour lesquelles on devient homosexuel ou hétérosexuel. Il semble néanmoins qu'elles pourraient avoir un fondement inné (au moins un jeune homme sur vingt est homosexuel ou bisexuel). Le contexte familial joue parfois un rôle — des pères distants ou trop sévères poussent à combler auprès d'un amant un manque d'affection paternelle — mais il ne suffit pas à déterminer une orientation sexuelle. Essayer de persuader un jeune homme de cesser d'être gay ne peut qu'aggraver son sentiment d'exclusion et de désespoir.

Solitude et rejet marquent l'existence de nombreux homosexuels, mais beaucoup connaissent également bonheur et succès dans leur vie privée comme dans leur parcours professionnel. Votre amour et votre soutien aideront votre fils à s'accepter et à affronter la difficulté de ne pas appartenir à la norme. Des films comme *Philadelphia* de Jonathan Demme, avec Tom Hanks (1992), ont contribué à faire évoluer les mentalités, mais la pression sociale continue de forcer de nombreux adultes à cacher leur homosexualité, en particulier à l'école. Cela ne facilite pas la vie des jeunes homosexuels. Douter de sa propre valeur conduit à avoir des attitudes autodestructrices. Plus votre fils éprouvera de respect pour lui-même et plus il prendra de précautions dans ses rapports sexuels.

Avoir un enfant homosexuel peut provoquer un sentiment d'isolement : on ne se sent plus comme les autres. Une association comme Contact (01 44 54 04 70 ou www.multi-mania.com/contpdc/) permet de profiter de l'expérience d'autres parents qui se trouvent dans la même situation. Elle possède des antennes régionales.

EN BREF

1. Apprenez à vos fils à faire la différence entre amitié, amour et désir.

2. Célébrez leur entrée dans l'adolescence quand ils atteignent l'âge du collège et donnez-leur une vision positive du sexe.

3. Évitez qu'ils prennent une mentalité de «macho» en leur enseignant le respect d'autrui. Favorisez les activités où ils peuvent fréquenter des filles.

4. En dessous de 16 ans, mieux vaut ne pas donner de connotation sexuelle aux rapports entre garçons et filles.

5. N'oubliez pas que les garçons veulent aussi de l'amour, pas juste du sexe.

6. Aidez-les à se sentir bien dans leur corps grâce au sport, la musique, la danse, etc. Continuez à les serrer dans vos bras tant que cela ne les gêne pas.

7. On apprend la tendresse en en recevant, et ce dès la naissance. Les bases dont dépendront toutes nos relations sont acquises à 3 ans.

8. La masturbation n'est pas seulement sans danger, elle fait du bien.

9. Découragez la pornographie. Discutez-en et décryptez les messages qu'elle transmet. Ne blâmez pas un adolescent de son intérêt ; dirigez-le plutôt vers des publications érotiques de qualité montrant des rapports équilibrés et respectueux.

10. Une mère a son mot à dire pour aider son fils à comprendre que les filles apprécient en fait chez les garçons des qualités comme la gentillesse et le sens de l'humour.

8.
Les garçons et l'école

Le problème de la violence à l'école se pose dans la majorité des pays développés. Ceux-ci ont pourtant des approches très variées de l'éducation. Certains ont des systèmes scolaires centralisés, comme la France. Dans d'autres, tels les États-Unis et l'Australie, les établissements dépendent d'autorités locales et jouissent d'une grande autonomie, y compris dans le recrutement des enseignants. Partout, cependant, et pour des raisons apparemment très diverses, certaines classes se transforment en champs de bataille où les professeurs affolés ne poursuivent plus que deux buts : faire travailler les filles et obtenir des garçons qu'ils se tiennent tranquilles.

Pourtant, les garçons qui semblent responsables de la situation sont les premiers à en souffrir. Il devient urgent de les aider à trouver leur place en classe, pour le bien de tous.

Ce que nous avons dit dans ce livre sur les étapes de leur croissance, les particularités de leur développement cérébral, l'influence des hormones et le besoin de modèles masculins peut nous aider à imaginer comment aller dans ce sens. Voici quelques points de départ :

FAIRE COMMENCER LES GARÇONS PLUS TARD

Comme leur motricité fine, et leurs capacités d'apprentissage en général, se développent plus lentement, les garçons auraient intérêt à entrer à l'école primaire après les filles.

Il ne s'agit pas d'imposer une règle rigide. La décision peut être prise après un test d'aptitude et un entretien avec les parents. Cet entretien aurait déjà l'avantage de lutter contre la tendance actuelle à vouloir trop «pousser» les enfants. De toute façon, cette entrée en primaire se fait déjà à un âge variable puisqu'il dépend du moment de la naissance dans l'année. Il s'agirait seulement de rendre le système plus souple en se basant sur les capacités réelles de l'enfant, une approche bien plus rationnelle que de décréter qu'un enfant né le 1er janvier entrera en cours préparatoire un an plus tôt qu'un autre né le 31 décembre. Les filles au développement plus lent profiteraient, elles aussi, d'un tel système.

Imaginez le nombre d'élèves à qui cette réforme éviterait plus tard un redoublement.

DES HOMMES À L'ÉCOLE, ET PAS N'IMPORTE LESQUELS

Dans certaines écoles, un élève sur trois n'est pas élevé par son père. Les années de primaire correspondent pour les garçons à la période où ils ont particulièrement besoin d'encouragements et d'exemples masculins. Leurs rapports avec leurs instituteurs vont donc être d'une importance cruciale pour eux.

J'ai demandé à de nombreux enseignants de me décrire le type d'homme idéal dans cette situation. Deux qualités reviennent systématiquement :

- allier chaleur et autorité : un bon enseignant prend plaisir à travailler avec des enfants et les complimente quand ils le méritent. Il est chaleureux et a le sens de l'humour, mais sans chercher à «faire partie de la bande». Il sait se faire respecter. Pas question qu'il se laisse marcher sur les pieds ! L'ordre règne et les élèves peuvent se concentrer sur leur travail.

- avoir de l'assurance : il est le seul maître à bord, mais d'une manière qui ne met pas au défi tout garçon mis sous pression par la testostérone. Il n'a rien à prouver et il exerce son autorité sans en faire un enjeu personnel. Les conflits ne se transforment pas en combats de coqs.

L'INDISCIPLINE EST UNE FAÇON D'ATTIRER L'ATTENTION

Les enfants créent des problèmes pour attirer l'attention. Dans toutes les écoles du monde où je suis intervenu, une même équation s'applique : un garçon délaissé par le père engendre des problèmes de discipline. Les garçons qui ne peuvent se tourner vers leur père ont besoin que d'autres hommes les épaulent dans leur vie, mais ils ne savent pas comment le demander. Quand les filles demandent de l'aide, les garçons, bien souvent, s'agitent pour l'obtenir.

S'il y a à l'école des hommes prêts à s'intéresser aux élèves qui manquent d'attention paternelle (si possible avant qu'ils ne posent problème), la vie de ces derniers changera. Et si ces enfants s'attirent quand même des ennuis, ces hommes pourront essayer de les guider et de les aider.

Les garçons qui se conduisent comme s'ils se moquaient de l'école veulent en réalité réussir et s'intégrer. Ils ne savent pas comment. Nous les punissons mais sans leur ouvrir les barrières. Guider des enfants ne peut se faire uniquement d'une estrade. Il faut s'investir dans un rapport personnel.

Le corps enseignant compte trop d'hommes et de femmes timides. Ces gens ont depuis longtemps refoulé leur propre vitalité. Ils perçoivent celle de leurs élèves comme une menace qu'il faut réprimer. Des punitions telles que retenue, travail supplémentaire ou renvoi temporaire reposent sur une psychologie de la distance, pas de la proximité : «Si tu te conduis mal, on va t'isoler.» Ce devrait être : «Puisque tu as tant besoin d'aide, on va s'intéresser à toi.»

UNE ÉDUCATION DYNAMIQUE

Le cadre offert par les écoles semble conçu pour l'éducation de personnes du troisième âge, pas celle de jeunes gens débordant d'énergie. Tout le monde est supposé se taire et obéir en permanence. L'enthousiasme paraît banni de cette forme d'apprentissage, même si de nombreux enseignants réussissent tout de même à rendre leurs cours amusants et toniques... avec la complicité de leurs élèves.

La passivité exigée par l'école va à l'encontre de tout ce que nous savons des enfants, et en particulier des adolescents. L'adolescence est l'âge de la passion, celui où l'on se sent prêt à relever tous les défis. Nos enfants ne demandent qu'à étendre leur savoir, leurs compétences et leurs perspectives. Ils devraient se lever le matin en pensant : «Super ! Il y a école aujourd'hui !»

Certains élèves sont plus passionnés que d'autres. Leurs talents spécifiques et leur personnalité les poussent à vouloir accomplir quelque chose de marquant, quelque chose de vraiment créatif ou d'utile sur le plan social. Si cette vitalité ne trouve pas à s'employer, elle s'exprimera sous forme de provocations et d'indiscipline.

À la passion de l'enfant doit répondre un investissement équivalent des parents, des enseignants et de toutes les personnes qui s'occupent de lui.

SOUTENIR LES GARÇONS LÀ OÙ ILS SONT VULNÉRABLES

Le langage et l'expression sont deux domaines où les garçons ont une faiblesse spécifique. Comme nous l'avons expliqué plus tôt, cette faiblesse a pour cause le mode de connexion entre les deux moitiés de leur cerveau. Ils ont plus de mal à transcrire en mots avec l'hémisphère gauche les sensations et les impressions qui prennent forme dans l'hémisphère droit. Maîtriser le langage écrit, s'exprimer verbalement et apprécier la lecture leur demande davantage d'efforts et ils ont besoin d'un soutien particulier pour arriver au même résultat que les filles.

Les parents ont un premier moyen simple de leur offrir ce soutien : surveiller leurs devoirs et leurs leçons, et reprendre ou approfondir les points qui leur posent problème. Attention cependant, les méthodes pédagogiques évoluent en permanence, en particulier dans l'apprentissage du français. Prenez la peine de rencontrer l'instituteur ou les professeurs de votre enfant, et d'étudier ses manuels, afin que leurs explications et les vôtres restent cohérentes.

AIDE PRATIQUE

Comment repérer à l'école un garçon en manque de père

Quatre principaux indices signalent qu'un garçon souffre d'un manque d'attention paternelle :

- un mode de relation basé sur l'agressivité ;
- un comportement et des intérêts hyper masculins (fusils, muscles, camions, etc.) ;
- un répertoire d'attitudes très limité (traîner en prenant un air «cool») ;
- un regard méprisant sur les femmes, les homosexuels et les minorités.

Tous les professeurs d'enseignement secondaire du monde occidental connaissent ces traits de caractère. Examinons leurs causes.

L'agressivité sert à masquer un sentiment d'insécurité. Privé du respect et des marques d'estime d'adultes de son sexe, le garçon joue au dur. Il rabaisse les autres de peur d'être rabaissé. S'il n'a pas eu l'exemple de son père ou d'autres hommes proches de lui, il ne sait pas vraiment comment être un homme. Il n'a pas un bon regard sur lui-même ni les outils qui lui permettraient de gérer ses émotions. Comme il ne l'a jamais vu faire, il ne sait pas comment :

- garder sa bonne humeur dans une situation de conflit ;
- parler avec aisance aux femmes sans chercher à les rabaisser ;
- exprimer sa reconnaissance, sa tristesse, ou ses regrets.

Un garçon dans cette situation n'a que deux sources où puiser son image de la masculinité : les héros de cinéma et ses copains. Admirer Jean-Claude Van Damme risque de ne pas lui être d'une grande utilité face aux réalités de la vie quotidienne. Et ses copains lui ressemblent trop. Leur conversation se limite souvent à des «Quel nul !» et autres «Allez, on se casse !».

Comme beaucoup de gens avec qui j'ai parlé de ce problème, je garde de mon enfance un souvenir très vivace de la peur du ridicule. Même s'ils jouent au dur, les mauvais élèves ont peur que le professeur les fasse passer pour des idiots devant les autres. Les bons élèves ont le problème inverse : c'est en tant que «lèche-bottes» qu'ils suscitent les moqueries et le rejet du groupe. Ceux qui se montrent créatifs ou originaux risquent de se voir traités de «pédés», ou pire !

Un garçon qui jouit du soutien de ses parents, de ses oncles et d'autres adultes peut mieux faire face à cette pression. L'image de lui-même que lui renvoie le cercle familial le rassure sur sa valeur, notamment en tant que mâle. Mais un garçon qui doute de lui-même se sent obligé de le cacher. Personne ne doit soupçonner qu'il a peur, et la meilleure protection consiste à prendre l'air dur et insensible, à se montrer d'une agressivité à fleur de peau. Toujours prêt à mordre le premier, il se sent plus sûr. Cette attitude va influer sur ses centres d'intérêt. Un dur s'intéresse à des trucs de dur. S'il n'a pas l'occasion de découvrir avec un adulte qu'il apprécie et qu'il respecte qu'un homme peut s'intéresser sans déchoir à beaucoup d'autres choses, il se raccrochera à ce qu'il perçoit comme viril : héros pleins de muscles, armes, grosses voitures, etc.

Les compliments comme antidote

Rien ne vaut l'éloge d'un père, d'un oncle ou d'un ami plus âgé pour élargir la vision qu'un garçon a de lui-même. Imaginons la famille rentrant de pique-nique. Dans la conversation, le père glisse : «Organiser un match de football avec les petits était une riche idée. Ils étaient si contents !» Son fils boit le compliment comme du petit-lait. Bien sûr, une mère aurait pu dire la même chose, mais elle n'aurait pas eu le même impact avec un garçon de plus de 10 ans.

Si un professeur ou un familier de la maison remarque un dessin crayonné sur un cahier et lance «Mais tu as du talent, toi», il élargira de la même manière l'espace où le garçon se sent à l'aise. Celui-ci pourra prendre plus de risques ; ce regard d'adulte le rend moins dépendant de l'opinion des camarades de son âge.

T'es quoi, toi, une fille ?

Si vous n'êtes pas sûr de ce que vous êtes, vous allez renforcer l'image que vous avez de vous-même en vous démarquant de ce que vous n'êtes pas. Les garçons qui doutent de leur masculinité se définissent comme n'étant pas des filles. Ils ne sont donc pas tout ce qu'ils perçoivent comme féminin et ils rejettent des qualités comme la douceur, la sensibilité, le goût de la discussion et l'esprit de coopération. Douter de son identité peut conduire de la même manière à mépriser les gens d'une autre culture ou d'une autre couleur de peau.

Beaucoup de problèmes viennent de ce que les enfants ne reçoivent pas toujours les marques d'estime dont ils ont besoin.

LA VIOLENCE À L'ÉCOLE

La violence en milieu scolaire, principalement au collège, a pris une telle ampleur qu'elle apparaît régulièrement à la une des journaux. Dans tous les pays développés, des plans pour en venir à bout se sont succédé sans grand succès ces quinze dernières années. Dans ses formes les plus extrêmes, du style agressions en bandes et coups portés à des professeurs, elle reste cependant localisée à certaines zones urbaines dites «à risque». En France, les élèves travaillent dans le calme dans la majorité des établissements secondaires.

Cela ne signifie pas que racket et brimades ne s'y produisent pas. Toutefois, le problème est difficile à quantifier, parfois même à discerner et souvent à résoudre. Des psychologues pensent que l'esprit de compétition entretenu dans certaines classes conduit les élèves les moins performants à se sentir rabaissés, une blessure d'amour-propre qu'ils adouciraient en imposant à un bouc émissaire une forme de supériorité. Une chose est sûre : un enfant qui considère que ses professeurs le traitent injustement se sentira en droit d'abuser lui aussi de sa force.

N'oublions pas que les petites brutes de cour de récréation ont toujours existé. À mon avis, ces garçons sont eux-mêmes maltraités à la maison. Ils font aux autres ce qu'on leur fait.

Parmi les solutions à la violence, certaines dépendent de l'État, comme l'augmentation du nombre de surveillants et l'élaboration d'un code appliqué dans tous les établissements et définissant clairement une échelle de sanctions. D'autres dépendent des adultes directement concernés. Les élèves victimes de brimades doivent pouvoir en avertir les surveillants et les professeurs. Ils doivent donc être sûrs que ceux-ci interviendront pour régler la situation et empêcher des représailles.

De nombreuses expériences ont été tentées dans le monde entier pour trouver des remèdes à ce problème de violence à l'école. Mais pour qu'une méthode soit efficace, il faut avant tout éviter de répondre aux élèves violents par une autre violence qui risque de renforcer leur sentiment d'exclusion. De même, un travail de groupe est nécessaire pour permettre aux enfants de mieux percevoir les problèmes de chacun et le mal qu'ils peuvent se faire mutuellement.

Rester vigilant

Certains signes peuvent indiquer que votre enfant est victime de brimades :

- s'il rentre souvent avec des bleus et des écorchures, ou des vêtements et des affaires endommagés sans raison ;

- s'il se plaint de douleurs telles que migraines et maux de ventre ;

- s'il se met à avoir des peurs inexpliquées, comme d'aller à l'école à pied, par exemple ;

- si son niveau scolaire baisse ;

- s'il se met à demander ou à voler de l'argent (pour payer un racket) ;

- s'il manque de camarades à l'école ;

- s'il change de comportement pour devenir triste, renfermé, capricieux, maussade, irritable, hypersensible ou plaintif ;

- s'il perd l'appétit ;

- s'il parle de suicide ;

- s'il se met à faire pipi au lit, à se ronger les ongles, à avoir des tics, à crier dans son sommeil ou à souffrir d'insomnie ;

- s'il refuse de dire ce qui ne va pas ;

- s'il donne des explications invraisemblables aux signes décrits ci-dessus.

Bien sûr, d'autres raisons peuvent expliquer la plupart de ces symptômes, et la première précaution à prendre en cas de troubles physiques est d'aller voir un médecin. Celui-ci pourra d'ailleurs en profiter pour interroger gentiment l'enfant.

Beaucoup de garçons rackettés ou brimés se taisent par peur de perdre la face s'ils font intervenir des adultes. Ils craignent aussi les représailles.

Si votre enfant est victime de brimades, parlez-en à l'administration de son établissement scolaire et restez vigilant. L'école devra vérifier la situation avant de prendre des mesures. Vous pouvez aussi agir de votre côté en aidant votre fils à acquérir plus d'assurance. L'apprentissage d'un art martial peut y contribuer.

LES ÊTRES HUMAINS ONT BESOIN DE MODÈLES DONT S'INSPIRER

On ne peut trop insister sur le fait que nous avons besoin de nous inspirer de modèles pour construire notre personnalité. Ce besoin découle de l'évolution de l'humanité en tant qu'espèce. Nous sommes des animaux obligés d'acquérir des aptitudes complexes pour survivre. L'exemple fourni par une personne que nous admirons permet à notre cerveau d'accumuler de précieuses informations sur les techniques qu'elle maîtrise, ses attitudes dans la vie et ses valeurs morales. Il n'est pas nécessaire d'avoir des héros pour modèles. Au contraire, mieux vaut des gens simples et disponibles.

Cette quête de modèles est particulièrement importante à l'adolescence. Et les adolescents ont besoin de percevoir leurs modèles comme des gens «comme eux» ou des gens «qu'ils pourraient être». L'important, c'est que l'exemple fourni par ces adultes élargisse leur champ d'action et d'opinions, et les aide à trouver leur place dans le monde. Le collège que je fréquentais dans les années soixante n'avait rien de très enthousiasmant. Je me souviens pourtant de quelques hommes qui furent une source d'inspiration :

- un professeur de mathématiques qui rendait visite aux parents de ses élèves pour les convaincre de pousser leurs enfants. Il nous menait à la baguette en classe mais organisa le premier voyage scolaire jamais proposé dans cet établissement – un grand moment. Cet homme est devenu une référence en pédagogie ;

- un vieux professeur de français qui nous racontait ses aventures militaires pendant la dernière guerre et prit des libertés avec le programme pour nous transmettre son amour de la poésie. Le week-end, il organisait des randonnées et des sorties en forêt ;

- un jeune professeur communiste qui dénonçait la guerre du Viêt-nam, vantait les progrès accomplis en URSS et prit des libertés avec le programme pour nous faire lire *Vol au-dessus d'un nid de coucous* ;

- un prodige de l'électronique qui restait dans sa classe à midi pour fabriquer et réparer des postes de radio avec les élèves qui en avaient envie.

J'ai eu beaucoup d'autres bons professeurs, notamment d'excellentes enseignantes. Tous ont élargi mon horizon.

TÉMOIGNAGE

N'est pas modèle qui veut

Dans un centre culturel installé dans la banlieue d'une grande ville, les garçons boudaient depuis des années les ateliers artistiques. L'arrivée d'un nouvel animateur bouleversa les habitudes. L'homme avait lui-même des enfants et il était chaleureux sans se montrer laxiste. Il aimait en outre le football, un sport auquel il jouait si bien qu'il devint l'entraîneur de l'équipe junior locale. Il avait du charisme et une image très masculine. Le cocktail était irrésistible. Les garçons se mirent à la poterie, au dessin et à la sculpture. Et ils continuèrent à fréquenter ces ateliers bien après que cet animateur eut quitté le centre.

J'ai eu à la fin du collège un jeune professeur de mathématiques, M. Garella, qui donnait ses cours en jean (en 1965 !) et arrivait à l'école en décapotable. Pendant un trimestre, les filles n'eurent d'yeux que pour lui, tandis que nous rêvions tous de lui ressembler. Il passait toutefois plus de temps en boîte de nuit qu'à préparer ses cours, et ses explications manquaient de clarté. Ce qui ne l'empêchait pas de se montrer ironique avec les élèves qui avaient du mal à comprendre. Les enfants ne se laissent pas longtemps abuser par les apparences. Les adultes qui les intéressent vraiment sont ceux qui ont quelque chose à leur apporter. M. Garella finit de perdre ce qui lui restait de prestige quand il arriva au collège à pied après avoir envoyé sa décapotable dans le fossé un soir où il avait trop bu.

TÉMOIGNAGE

Une expérience pédagogique intéressante

Un collège privé de Sydney avait des problèmes de résultats. Les élèves manquaient de motivation et n'obtenaient pas les notes qu'ils auraient dû. L'équipe pédagogique décida de revoir entièrement ses méthodes et son organisation pour donner aux enfants un cadre où ils auraient envie de travailler.

Les changements les plus importants concernaient la sixième et la cinquième. Au lieu d'avoir une dizaine de professeurs, chaque classe fut prise en charge par une équipe de cinq enseignants qui s'occupait aussi des questions de discipline et des rapports avec les parents. Ce système permit de regrouper des heures de cours et de traiter plusieurs matières de front afin que les enfants perçoivent mieux la cohérence de l'enseignement qu'ils recevaient.

La directrice de l'établissement fit le bilan de l'expérience dans une interview donnée à un quotidien :

«Ces mesures se sont révélées très efficaces. Les élèves s'investissent plus et obtiennent de meilleurs résultats. Travailler en équipe, et en petite équipe, a permis aux enseignants d'établir avec leurs élèves des rapports reposant moins sur la contrainte que sur la collaboration. Les enfants et les adultes ont appris à se connaître, à se faire confiance et à s'écouter.»

La qualité des relations entre un élève et son professeur joue un rôle essentiel pendant les premières années de collège. Pour de nombreux parents, cette question prend une forme très concrète : les notes qui, d'une année à l'autre et pour une même matière, montent ou descendent selon que leur enfant «aime» ou «n'aime pas» son professeur, ou qu'il sente que son professeur «l'aime» ou «ne l'aime pas».

LES DIFFICULTÉS D'APPRENTISSAGE

Quasiment tout le monde souffre de lésions cérébrales. Elles se produisent à l'accouchement ou sont les conséquences de déficiences génétiques, de chocs à la tête, d'empoisonnements dus à la pollution, de problèmes circulatoires, etc. Sans que l'on en connaisse la cause exacte, les garçons courent plus de risques de subir une lésion cérébrale à la naissance que les filles.

Dans la plupart des cas, ces lésions restent mineures et ne posent pas de problème, mais chez certains enfants, elles créent des difficultés d'apprentissage. Ces difficultés passaient souvent inaperçues quand le niveau d'éducation exigé par la société était moindre, mais elles peuvent provoquer aujourd'hui un réel handicap. Nous avons heureusement des recours.

Les quatre opérations nécessaires à l'acquisition d'un savoir déterminent les quatre types de difficultés d'apprentissage. Pour qu'un enfant apprenne une information, celle-ci doit premièrement atteindre son cerveau par l'intermédiaire des organes sensoriels et du réseau nerveux, deuxièmement faire sens, c'est-à-dire trouver sa place au sein d'un système organisé, troisièmement s'inscrire en mémoire, et enfin pouvoir ressortir quand on a besoin d'elle.

1. Acquisition. Ce n'est pas parce qu'un enfant voit ou entend qu'il voit ou entend obligatoirement comme tout le monde. Une difficulté de «compréhension» peut très bien découler d'un problème de perception. Voici le témoignage d'un jeune garçon :

«Je détestais les petits magasins parce que ma vue me donnait l'impression qu'ils étaient encore plus petits qu'en réalité. Mes oreilles aussi me jouaient des tours ; elles faisaient varier le volume des sons qui m'arrivaient. Quand les autres enfants me parlaient, j'arrivais parfois à peine à les entendre, et parfois on aurait dit des explosions qui allaient me rendre sourd.»

2. **Organisation.** Une nouvelle information prend son sens en entrant en relation avec celles que vous avez déjà. S'il y a une erreur d'aiguillage, vous risquerez de lire 231 et d'enregistrer 213.

3. **Mémoire.** Il existe deux sortes de mémoire : la mémoire à court terme où transitent temporairement des informations dont nous n'aurons bientôt plus besoin (par exemple, les derniers mots que nos yeux ont parcourus en lisant un livre), et la mémoire à long terme qui forme la trame de nos souvenirs (et où nous enregistrerons le sujet du livre et telle ou telle phrase qui nous a marqués). Il arrive parfois que l'une pose problème et pas l'autre.

4. **Utilisation.** Vous savez ce que vous voulez dire, écrire ou dessiner. Tout est là, dedans, et, parfois, des obstacles l'empêchent de sortir.

Si vous avez l'impression que votre enfant souffre de troubles de ce genre, consultez un spécialiste. Beaucoup de difficultés d'apprentissage peuvent être vaincues ou, du moins, atténuées. Plus le traitement commence tôt, plus il est efficace.

L'ergothérapie

Voici l'exemple d'un garçon qui a surmonté un problème d'utilisation.

À 8 ans, David avait beaucoup de difficultés avec l'écriture. Rien d'inhabituel pour un garçon de cet âge, mais ses parents s'inquiétaient parce qu'il n'avait pas fait de progrès depuis deux ans. Ils le savaient intelligent mais craignaient que ses cahiers illisibles finissent par vraiment lui nuire à l'école.

La méthode normale dans une telle situation consiste à imposer à l'enfant de longs exercices : il dessine de grandes lettres en s'appliquant et les réduit peu à peu. Une conversation avec un ami donna l'idée aux parents de David d'essayer en même temps une autre approche : l'ergothérapie, une technique utilisée pour la rééducation des handicapés physiques.

Ils s'adressèrent à une spécialiste des enfants souffrant de difficultés d'apprentissage. Pendant la séance d'évaluation, elle découvrit que David manquait de coordination dans toute la partie supérieure du corps et pas seulement dans les mains. En fait, il ne pouvait pas écrire correctement parce qu'il n'avait pas une bonne posture et que son bras ne lui offrait pas un point d'appui assez solide.

Était-ce un problème héréditaire, dû à une souffrance cérébrale à la naissance ou causé par un manque d'exercice ? La question reste posée. L'ergothérapeute fixa à David un programme d'exercices destinés à renforcer les muscles de son dos et à améliorer la coordination de ses bras, de ses épaules et de son torse.

L'enfant devait y consacrer une demi-heure par jour. Parmi les exercices, il appréciait le trampoline, tourner sur lui-même comme une toupie et travailler son équilibre. Mais tout n'était pas aussi amusant et il ronchonna plus d'une fois. Ses parents le soutenaient en faisant ces exercices avec lui. Au bout de six mois, il obtint des résultats suffisants pour pouvoir arrêter.

Trois ans plus tard, David doit toujours se surveiller pour écrire lisiblement : penser à sa posture et rester concentré. Mais il a une écriture très correcte pour son âge et il fait partie des meilleurs élèves de son école.

Le rôle des parents

Surmonter des difficultés d'apprentissage demande du temps et des moyens. Les enfants dont les parents sont prêts à lutter et à leur consacrer du temps pour les aider s'en sortiront toujours mieux. Il faut de la détermination pour trouver le bon spécialiste et obtenir du système scolaire un enseignement adapté. Rencontrer d'autres parents qui connaissent un problème similaire sera d'une grande aide. Ils pourront vous aiguiller dans votre recherche d'informations et vous offrir le réconfort de personnes qui comprennent intimement ce que vous ressentez.

En bref

Pour que l'école profite mieux aux garçons, il faudrait que :

1. ils y entrent quand leur motricité fine a atteint une maturité suffisante ;

2. ils y trouvent plus d'hommes à même de leur servir d'exemple et de fixer, avec autorité mais bienveillance, le cadre dont ils ont besoin ;

3. l'enseignement prenne une forme plus dynamique et plus concrète afin de tirer un meilleur parti de leur énergie physique ;

4. des systèmes de soutien leur permettent de mieux travailler leurs points faibles, en particulier dans le domaine du langage et de l'expression ;

5. les élèves aient moins de professeurs en sixième et en cinquième afin de s'adapter plus facilement au collège ;

6. les enseignants gardent en tête qu'un problème de conduite peut avoir pour cause une difficulté d'apprentissage et qu'ils vérifient cette hypothèse le plus tôt possible.

9.
Les garçons et le sport

UN RITE FAMILIAL

Chaque été, la famille de ma femme (cinq sœurs, leurs parents, les maris et les enfants) se réunit une semaine dans une grande propriété à la campagne. J'adore voir les retrouvailles des cousins. Ils sont immédiatement à l'aise ensemble comme s'ils s'étaient quittés la veille et non un an plus tôt.

La tradition veut qu'au cours de cette semaine, un après-midi soit consacré à une partie de football entre les enfants. J'y assiste depuis des années maintenant et constater que les équipes ont encore grandi de quelques centimètres me réjouit toujours.

Le plus amusant, c'est de regarder les pères. Très calmes d'habitude, ils semblent se métamorphoser dès qu'ils se retrouvent debout le long du trait de plâtre qui marque les limites du terrain. Des bravos sanctionnent chaque passe ou interception réussie. La course d'un petit de 8 ans vers le but adverse déclenche une vague bruyante d'encouragements. Il a récupéré le ballon derrière la ligne de touche, mais l'arbitre ne siffle pas. C'est le plaisir de jouer qui compte, pas la compétition.

Et pourtant, ce n'est pas l'avis d'un de ses cousins qui, à 10 ans, a atteint l'âge où on est obsédé par les règles. Il se met à protester en hurlant. Son père le prend à part. Il lui explique qu'ils sont là pour passer un bon moment ensemble et que c'est plus important que de savoir qui gagne. Une leçon difficile à digérer pour un garçon de 10 ans.

En les voyant, je me dis que le sport offre un cadre précieux aux échanges entre générations et à la transmission des valeurs.

UNE ARME À DOUBLE TRANCHANT

Le sport tient une grande place dans la vie de nombreux garçons. Il peut leur faire beaucoup de bien, mais aussi beaucoup de mal. Il peut leur donner un corps solide, de l'assurance et le sens de la solidarité comme il peut les mutiler, déformer leur sens des valeurs et leur laisser un profond sentiment d'échec.

Depuis les Grecs et les Jeux olympiques, le sport n'a jamais perdu de son importance dans la culture occidentale. Le football et le tennis, pour ne citer qu'eux, tirent leurs origines de jeux pratiqués au Moyen Âge. Aucune religion ne provoque aujourd'hui autant de passion ni ne compte autant de fidèles. Un parent ne peut pas complètement se désintéresser du sport s'il veut le bien de ses enfants, en particulier si ce sont des garçons.

Commençons par les avantages.

UN LIEN ENTRE ADULTES ET ENFANTS

Le sport offre à un garçon un sujet d'intérêt commun avec son père ou d'autres hommes. De parfaits étrangers peuvent en discuter. Combien de mes amis m'ont dit : «Si mon père et moi n'avions pas pu parler de sport, nous n'aurions rien eu à nous dire du tout.»

Le sport est aussi un moyen d'intégration pour les immigrés ou les enfants d'immigrés. L'équipe française de football qui remporta la Coupe du monde en 1998 en donna un exemple particulièrement spectaculaire.

LA SOLIDARITÉ MASCULINE EXISTE

Un de mes amis s'est un jour laissé convaincre d'entrer dans une équipe adulte de rugby, un sport qu'il n'avait plus pratiqué depuis l'école. Il regrettait d'avoir dit oui. Pour reprendre ses propres mots, il s'attendait «à se raser dans une ambiance macho». Il découvrit avec surprise une atmosphère très différente de celle qu'il imaginait. Les membres de l'équipe partageaient une réelle complicité et beaucoup d'affection. Ils reconnaissaient leurs mérites respectifs, et échangeaient conseils et astuces. Les plaisanteries ne servaient pas à rabaisser, mais au contraire à mettre en relief les progrès des plus jeunes et l'expérience des vétérans. Ce qui frappa mon ami, c'est qu'il fréquentait certains de ces hommes chez eux et au travail et qu'il ne les avait jamais vus ainsi nulle part ailleurs. Le cadre et les rituels de l'équipe permettaient à chacun d'être plus entier et plus épanoui. Mon ami apprécia énormément l'expérience.

DES LEÇONS POUR LA VIE

Le sport a une valeur éducative qui dépasse le simple fait d'améliorer ses capacités physiques. Il apprend notamment aux enfants à :

- être bon perdant : ne pas se mettre à pleurer, à se battre ou à partir avec le ballon ;

- être bon gagnant : rester modeste pour ne pas blesser ses camarades ;

- fonctionner en équipe : coopérer dans le jeu, reconnaître ses limites et soutenir les efforts des autres ;

- donner le meilleur de soi-même : s'entraîner même les jours où l'on n'en a pas envie, et toujours essayer de faire de son mieux ;

- travailler pour un objectif à long terme et accepter des sacrifices pour l'atteindre ;

- s'améliorer par la pratique.

Tous les parents sont contents que leurs enfants pratiquent un sport. Les avantages sont évidents : exercice physique, esprit d'équipe, dépassement de soi...

La pratique du sport est toutefois en train de changer, et pas toujours en bien. Les parents, et les parents de garçons en particulier, doivent se montrer vigilants.

DES MODÈLES PAS TOUJOURS EXEMPLAIRES

Les héros positifs réels (et non de fiction) auxquels s'identifient les jeunes garçons sont pour la plupart des sportifs. Le sport n'a jamais tenu une aussi grande place dans notre vie quotidienne : à travers les médias et la publicité, sur les paquets de céréales et même dans la rue où il est devenu à la mode de se promener en survêtement.

Tout le monde considère que c'est une bonne chose pour un enfant que de pratiquer un sport. Mais le résultat peut aussi être négatif. En particulier dans les sports d'équipe où des hommes qui n'ont jamais vraiment grandi risquent d'offrir à des garçons impressionnables un exemple peu recommandable.

Où avez-vous le plus de chance de rencontrer des gens ivres hurler des insultes et des plaisanteries sexistes et racistes... quand ils ne cherchent pas en plus à se battre avec leurs voisins ? Sur un stade !

En jouant au football ou au rugby, un garçon est supposé apprendre des valeurs telles que le courage et la solidarité. Selon l'atmosphère du club ou de l'équipe, il risque plutôt d'apprendre à se saouler à la bière, à proférer des obscénités et à importuner les filles. L'autorité et la personnalité des entraîneurs et des responsables ont une grande importance dans ce genre de situation. Ce sont pour la plupart des personnes dévouées et compétentes, mais vous ne pouvez pas en être sûr si vous inscrivez votre enfant dans un club que vous ne connaissez pas. Comme l'illustre le témoignage qui suit, mieux vaut assister à quelques entraînements pour s'assurer de la qualité de l'enseignement.

TÉMOIGNAGE

Un mauvais entraîneur

À 14 ans, Marc aimait beaucoup le rugby. Un déménagement l'obligea à quitter son équipe, mais le club de la ville où sa famille s'installait paraissait très dynamique. L'équipe junior avait participé à la finale de sa ligue trois années de suite. Elle n'avait toutefois jamais réussi à la remporter.

Pour tenter d'obtenir enfin la victoire, le club engagea un entraîneur spécialement chargé des avants, une armoire à glace qui s'était illustrée sur les stades. Alors qu'approchait le grand match, le père de Marc, Vincent, assista à une séance d'entraînement. Quelle ne fut pas sa surprise d'entendre l'entraîneur gronder :

- Dès le premier accrochage, je veux que vous leur tapiez dans la gueule.

Il paraît qu'il parlait tout le temps comme ça. Un garçon crut n'avoir pas bien compris :

- Vous voulez dire qu'on répond s'ils nous frappent, c'est ça ?

- Mais non, pauvre débile, tu cognes avant de leur laisser le temps. Compris ?

Vincent se sentit bouillir de colère. Ce n'était pas l'idée qu'il se faisait du sport. Ce soir-là, il appela un ami qui avait beaucoup joué au rugby. Celui-ci confirma que le règlement interdisait de donner des coups de poing. Le coupable risquait une suspension. C'était surtout moralement injustifiable !

Vincent ne pouvait pas en rester là. Il alla parler à l'entraîneur. L'autre balaya le sujet d'un revers de la main : «Ces chiffes molles ne le feront pas de toute manière. J'essaie de leur donner un peu de mordant, à ces chochottes. Mais je sais qu'ils n'oseraient pas !»

À qui Vincent avait-il donc affaire ? À un éducateur qui ne s'attendait pas à ce qu'on suive ses avis, qui se montrait gêné d'être pris sur le fait, ou qui avait l'habitude de tenir en permanence un double langage ? De toute façon, un tel homme ne pouvait rien apporter de bon à un enfant. Vincent en discuta avec son fils et Marc fut ravi de quitter l'équipe. Ses parents trouvèrent un autre club, un peu plus éloigné, mais ils firent l'effort d'effectuer les trajets.

«Quand j'y repense» me dit plus tard Vincent, «j'ai l'impression que je savais déjà que quelque chose n'allait pas. Les garçons ne semblaient pas prendre de réel plaisir aux matchs. Il n'y avait pas de solidarité dans le groupe ; ils ne recevaient jamais de compliments. Malgré leurs résultats, on les traitait toujours comme s'ils étaient nuls.»

Il était content d'avoir vu le problème à temps et de lui avoir trouvé une solution.

LE PIÈGE DE LA COMPÉTITION

L'échec est difficile à assumer quand on pratique un sport, mais le succès peut créer des problèmes encore plus graves. Surtout chez un enfant qui souffre de ne pas être reconnu par sa famille ou la société. Parce qu'il commence à apporter des victoires au club, les adultes se mettent soudain à s'intéresser à lui, à le couvrir d'éloges. Il devient un sujet de fierté, a droit à des soins particuliers, bénéficie d'un entraînement personnalisé. Les responsables le poussent en avant ; sa photo paraît dans la presse locale. Il gravit une échelle riche de promesses.

Jusqu'à ce qu'il se blesse. Ou qu'il atteigne ses limites naturelles. Ou qu'il se mette à boire ou à se droguer pour pouvoir supporter son stress. Il doit alors affronter la déception de ceux qui l'encensaient, tout en perdant l'activité qui occupait une grande part de son temps. Les sportifs de haut niveau ont souvent des problèmes d'adaptation psychologique quand ils s'arrêtent, au point d'être considérés comme une population à risque par les spécialistes de la lutte contre la toxicomanie.

Les parents d'un enfant doué doivent donc veiller à ce que la pratique intensive d'une activité sportive ne nuise pas à son équilibre. Entre autres, il court le danger de finir par considérer son corps comme une simple machine à performance, une machine qu'on peut doper si nécessaire.

MODÈLES, MODE D'EMPLOI

Les enfants et les jeunes gens, quand ils ont un modèle, ne font pas de détail. Si un homme les fascine parce qu'il joue bien au tennis, ils vont aussi prendre pour exemple ce qu'ils savent de ses opinions ou de son mode de vie. C'est ce qui explique que les publicitaires sont prêts à payer si cher les sportifs pour qu'ils s'affichent avec tel hamburger à la main ou tel vêtement sur le dos. Dans un registre différent, mais pour les mêmes raisons, on leur demandera de participer à des campagnes prônant l'usage du préservatif ou prévenant des dangers du tabac.

Cette confusion des genres est une forme de manipulation car elle détourne de sa source l'admiration que nos enfants portent à leurs idoles. En outre, elle transforme les sportifs en «exemples à tout faire», une responsabilité bien difficile à assumer. Mieux vaut pour nos enfants qu'ils aient un large choix de modèles dont s'inspirer : acteurs, chanteurs, réalisateurs de cinéma, scientifiques, explorateurs, militants de cause humanitaire...

LE SPORT ET LA SANTÉ

Faire du sport est bon pour la santé, n'est-ce pas ? Ce n'est pas ce que disent les statistiques.

Presque tous les athlètes et les sportifs de haut niveau reçoivent avant 30 ans des blessures lourdes de conséquence, depuis des chocs à la tête jusqu'à d'innombrables dommages causés aux articulations et aux tendons par des collisions. Elles risquent de provoquer de douloureuses crises d'arthrite.

Le danger vient principalement de la compétition car elle peut conduire à repousser ses limites physiques au-delà du raisonnable. Ce sont les adultes qui en sont responsables. Les enfants, dans leur grande majorité, veulent juste s'amuser. Il faut les rendre fanatiques pour qu'ils deviennent déraisonnables.

Une enquête menée dans la Nouvelle-Galles du Sud, une région australienne de six millions d'habitants, a montré que les services d'urgence des hôpitaux recevaient à eux seuls chaque année plus de deux mille enfants qui s'étaient blessés en pratiquant un sport. Environ quatre cents de ces blessures étaient assez sérieuses pour imposer un traitement ou une hospitalisation de longue durée. C'était, dans l'ordre, les rugbymen, les footballeurs et les basketteurs qui fournissaient les plus gros contingents.

Le problème s'aggrave avec l'âge. En moyenne, la proportion de blessés parmi les enfants pratiquant un sport est multipliée par sept entre 12 et 16 ans.

LE SPORT N'EST PAS UNE OBLIGATION

Il n'est pas toujours facile de s'intégrer à une équipe, et tout le monde n'a pas les qualités athlétiques qui s'imposent pour y arriver, surtout quand le niveau de compétition monte. Quand j'étais enfant, j'adorais le football. Mais j'ai fini, dans mon club, par me retrouver cantonné au rôle de remplaçant. Après avoir abandonné, j'ai longtemps gardé de cette expérience l'amère impression d'un échec. Et encore, je n'ai pas eu à supporter en plus le poids de la déception de mon père.

Tous les garçons peu doués pour le sport n'ont pas cette chance, surtout s'ils sont fils de sportifs (ou de gens qui croient l'être). À l'inverse, avoir un père qui se désintéresse complète-ment du sport est dur pour un enfant qui aime ça.

L'idéal est de trouver une activité qui plaise aux deux. À moins que votre fils ne soit un passionné de sport, plutôt que de passer des heures à le conduire à droite et à gauche et à patienter sur un stade ou dans une salle où vous vous ennuyez, mieux vaut occuper votre temps à faire du vélo ou à pêcher à la ligne avec lui. La tendance actuelle consiste souvent à payer des étrangers pour qu'ils s'occupent de nos enfants et les éduquent à notre place.

VIVE LE SPORT !

À cet instant, partout dans le monde, des groupes d'en-fants courent et bondissent, rient et crient en même temps simplement parce qu'ils font la course, parce qu'ils jouent au football ou au basket. Pour beaucoup d'entre eux, le sport fait partie de ce qu'ils ont de plus beau dans la vie. Il revient aux adultes de ne pas pervertir leur plaisir de l'effort et du jeu, mais au contraire de le partager. S'ils savent donner un exemple constructif et rester fidèles à ses vraies valeurs, le sport gardera sa magie et permettra aux enfants à grandir harmonieusement.

EN BREF

1. Le sport comporte de nombreux avantages. En particulier, il permet aux enfants de prendre de l'exercice et de l'assurance, et fournit aux garçons un sujet d'intérêt commun avec leur père et les hommes plus âgés en général.

2. Le sport est souvent un excellent moyen de développer sa personnalité et sa masculinité.

3. Il arrive malheureusement que la pratique d'un sport vous amène à avoir de mauvaises fréquentations. Dans certains clubs, la volonté de gagner à tout prix l'emporte sur le plaisir de participer et le respect de l'adversaire.

4. La compétition peut se révéler dangereuse pour les plus doués s'ils ne gardent pas une vie équilibrée. Le sport de haut niveau laisse parfois des séquelles physiques dont les victimes souffrent toute leur vie.

5. Un enfant obligé d'abandonner un sport parce qu'il manque d'aptitudes ne devrait pas en plus supporter les reproches de ses parents.

6. Le sport est une activité qui permet aux générations de se rapprocher et encourage le sens de l'effort gratuit. Il faut veiller à ce que la pression médiatique et commerciale ne le détourne pas de ses vraies valeurs.

10.
Un défi pour la société

Un enfant a trop de curiosité pour pouvoir se contenter de l'horizon que lui offre sa famille. À l'adolescence, il a envie de s'élancer dans l'inconnu. Encore faut-il qu'il ait un endroit où atterrir et des gens pour l'aider à le faire. Les problèmes de délinquance et de violence des jeunes ne peuvent être résolus sans une action de la société tout entière. Pour franchir le cap difficile de l'adolescence, les enfants, et en particulier les garçons, ont besoin d'un tissu social où ils se sentent à leur place et dont ils perçoivent clairement les règles.

Les conduire à l'âge adulte demande un effort concerté. Mais de quoi ont-ils besoin exactement ?

Certains de leurs besoins sont pratiques : une oreille disponible, la possibilité d'apprendre, des perspectives d'avenir, et des personnes de confiance qui leur enseignent la prudence et veillent sur eux.

D'autres sont d'un ordre plus spirituel. Pour les illustrer en conclusion de ce livre, j'ai choisi trois histoires. Elles sont très différentes mais toutes ont le même sujet : comment une action collective peut aider des garçons à devenir des hommes.

PERDRE ET GAGNER AVEC GRÂCE

Sydney abrite deux grands collèges privés qui entretiennent des traditions datant de l'époque où l'Australie n'était qu'une colonie britannique : St-Joseph et Riverview. Ces deux écoles possèdent comme il se doit leur propre équipe de rugby. St-Joseph a toujours gagné les matchs qui les opposaient. Il faut ici préciser que St-Joseph tient un rang à part en ligue universitaire avec un palmarès qui la met au-dessus de toutes ses concurrentes.

En 1996, cependant, Riverview avait enfin l'équipe exceptionnelle qui lui permettait de croire à l'impossible. La rencontre attira un public de près de quinze mille parents et anciens élèves. Et l'incroyable commença à se produire : St-Joseph était mené au score à la mi-temps. Malgré tous leurs efforts, les joueurs ne réussirent qu'à réduire l'écart pendant la deuxième reprise. Leurs adversaires étaient trop forts. Le coup de sifflet final sonna le glas d'un long règne.

Le match était fini. Les vainqueurs sautaient de joie en hurlant. Les spectateurs se levaient dans les gradins. Un événement inattendu se produisit alors. Les perdants formèrent un cercle sur le terrain, se tenant par les épaules, tête baissée comme en prière. Plus que le poids de la défaite, ils semblaient partager le sentiment de l'effort accompli en commun. Et l'instant devint magique. Arrivant de tous les côtés, des hommes – leurs pères et d'anciens élèves de l'école – marchaient dans leur direction. Et tous nouèrent leurs bras autour d'eux, agrandissant le cercle. Des centaines d'hommes liés par une solidarité silencieuse.

Aucun de ces hommes n'oubliera jamais ce moment. Avoir perdu ou gagné ne signifiait plus rien. Seul comptait pour eux ce qui les liait : le sentiment de l'union dans l'effort, du don de soi pour la cause commune. Et ils partageaient la joie de rendre honneur à ces jeunes gens et de les accueillir dans le monde des adultes.

UNE BONNE ACTION

Une grosse société néo-zélandaise voulait faire quelque chose pour la ville où elle avait son siège, une bonne image de marque favorisant les affaires. Si elle s'était conformée aux pratiques habituelles, elle aurait subventionné un musée ou un centre culturel. Mais ses dirigeants se laissèrent persuader d'«adopter une école» du quartier défavorisé où la firme avait son usine. Et de ne pas donner de l'argent mais du temps.

L'entreprise offrit donc aux employés intéressés la possibilité d'apporter leur aide à un élève en difficulté. Chaque semaine, les volontaires utilisaient deux heures de leur temps de travail pour fournir un soutien à leur protégé. L'école coordonnait le programme ; la compagnie fournissait la main-d'œuvre.

Des enfants en échec scolaire reçurent donc deux fois par semaine la visite de l'adulte qui avait choisi de s'occuper personnellement d'eux tout au long de l'année. En deux ans, les résultats de l'école aux évaluations nationales s'améliorèrent de manière significative. Notre société tend à vouloir régler tous les problèmes scolaires en augmentant les moyens matériels alors que les enfants ont besoin avant tout de contacts humains.

INITIATION

C'est l'automne sur une île sauvage au large de l'Australie. Douze hommes chargés de sacs à dos et neuf jeunes gens de 14 à 19 ans viennent d'y passer deux jours. Sereins et pensifs, ils attendent le bateau qui doit les ramener chez eux.

Certains hommes vivent en couple ; deux ont divorcé ; un troisième élève ses enfants seuls. Parmi les garçons, sept sont leurs fils. Les deux autres ne sont pas élevés par leurs pères.

La veille, le groupe avait rejoint à pied une cabane isolée où il pique-niqua avant d'aller jouer et se baigner sur une plage déserte. Le soir tombé, tous marchèrent dans l'obscurité jusqu'à un endroit où un feu avait été préparé. Ils s'assirent. Nerveux, les garçons échangeaient des plaisanteries en se demandant ce qui allait se passer.

Autour du feu, les douze hommes se levèrent chacun à son tour pour se présenter. Pour parler de leur vie, certains s'exprimèrent avec humour ; d'autres durent chercher leurs mots. Ensuite, chaque père se leva pour parler de son fils. Il décrivit ses qualités, raconta ses souvenirs les plus chers et dit combien il l'aimait. Les hommes qui prononcèrent les éloges des deux autres garçons lurent les messages envoyés par un grand-père et un père en prison.

Des pères faisaient devant tous l'éloge de leurs fils ! L'expérience avait quelque chose de si exceptionnel que les regards brillaient d'émotion dans la lueur des flammes.

Chaque garçon répondit ensuite à son tour, avec une éloquence surprenante, en décrivant sa vie, les valeurs qu'il défendait et ses espoirs.

Le lendemain, adultes et adolescents se répartirent en petits comités pour discuter des projets d'avenir des jeunes gens et de leurs objectifs pour l'année suivante. Ces objectifs firent l'objet d'une annonce solennelle face au groupe tout entier. L'un avait décidé de reprendre ses études, un autre de trouver du travail, un troisième de cesser de se droguer, plusieurs de réparer les torts qu'ils avaient commis, un autre de trouver une compagne, et le dernier de se réconcilier avec sa mère.

Les adultes proposèrent leur aide concrète, qu'il s'agisse de fournir à un adolescent un espace où travailler ou d'en conduire un autre chez sa grand-mère pour qu'il s'excuse de lui avoir volé de l'argent. Ils décidèrent de se retrouver tous au même endroit l'année suivante pour renouveler leur engagement envers les garçons.

La réunion que nous venons de décrire s'inspire de cérémonies d'initiation indiennes et aborigènes. Ce n'est pas tant son déroulement qui compte, que son esprit. Dans notre monde où tout change en permanence, les jeunes ont absolument besoin de savoir qu'il existe des valeurs fondamentales qui se transmettent de génération en génération. Ils ne se rendent pas toujours compte qu'ils ne sont pas obligés de tout réinventer, mais peuvent au contraire compter sur leurs aînés pour les aider à faire leurs premiers pas dans la vie.

L'éducation occidentale est clairement destinée à donner aux enfants une autonomie qui les fera quitter la maison familiale. Elle les pousse en quelque sorte vers la porte, et c'est loin d'être toujours confortable pour eux. Notre culture a en outre perdu les rituels qui célébraient les grandes étapes sur le chemin de la maturité. Il nous faut inventer de nouveaux moyens de rappeler à nos enfants les liens qui nous unissent à eux. Ils doivent savoir que leurs progrès ne les éloignent pas mais les rapprochent de nous au contraire, car ils se rapprochent de notre monde, celui des adultes.

Appendice

PRÉCISIONS SUR LE TROUBLE DU DÉFICIT DE L'ATTENTION CHEZ LES GARÇONS

Le terme «trouble du déficit de l'attention» reste un sujet de désaccord entre professionnels. Contrairement à ce qui est souvent sous-entendu, il n'a jamais été prouvé qu'il correspond à un désordre physique, chimique ou structurel. L'expression sert en fait à décrire un type de comportement manifesté plus particulièrement par les garçons (90 % des cas) et qui pose d'énormes problèmes aux enfants qui manifestent ce trouble et aux adultes chargés de s'occuper d'eux.

Je pense quant à moi que l'aide dont ces enfants et leurs parents ont besoin dépasse de loin la simple prescription de médicaments.

Trois points importants doivent être rappelés :

1. il n'existe pas de preuve que l'usage prolongé de médicaments comme la ritaline ne présente pas de danger et possède une réelle efficacité ;

2. les enfants ont aussi besoin qu'on les aide à apprendre à se décontracter et à se concentrer ;

3. le déficit du trouble de l'attention s'accompagne souvent d'hyperactivité. Il ne s'agit pas de violence. La violence chez les enfants a toujours pour origine des problèmes dans l'environnement familial.

Avant de conclure que votre enfant souffre du trouble du déficit de l'attention, commencez d'abord par éliminer toutes les autres explications. Parmi les possibilités figurent des violences sexuelles, un traumatisme causé par un divorce, des actes de violence au sein de la famille ou des difficultés d'apprentissage qui lui donneraient le sentiment de n'être bon à rien. Si le diagnostic du trouble du déficit de l'attention est confirmé, ne vous contentez pas d'un traitement médicamenteux. Demandez à votre médecin ou au pédiatre de vous diriger vers un spécialiste qui entraînera votre enfant à utiliser ses capacités de concentration.

Grâce à leur effet calmant, les médicaments vont faciliter cet apprentissage. Mais ne comptez pas qu'ils fassent tout. Le but est d'arriver à ce que l'enfant puisse s'en passer.

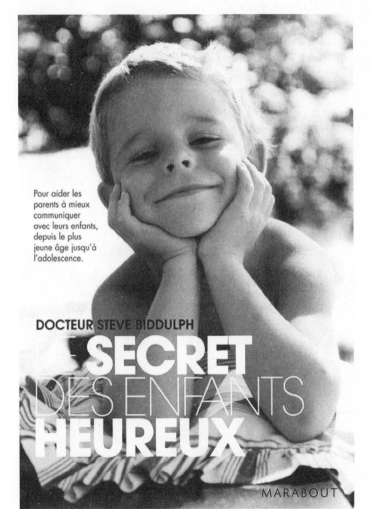

Pour aider les
parents à mieux
communiquer
avec leurs enfants,
depuis le plus
jeune âge jusqu'à
l'adolescence.

DOCTEUR STEVE BIDDULPH

SECRET
DES ENFANTS
HEUREUX

MARABOUT

Comment l'aider
à devenir une femme
forte et épanouie ?

GISELA PREUSCHOFF
PRÉFACE DE STEVE BIDDULPH

ÉLEVER
UNE FILLE

MARABOUT

IMPRIMÉ EN ALLEMAGNE PAR GGP MEDIA GMBH
pour le compte des
Nouvelles Éditions Marabout
D.L. Février 2010
ISBN: 978-2-501-05282-5
40.8864.7/04